KB082250

흘러가는 중입니다

흘러가는 중입니다

한승엽

안정애

율성휘

김 현

김성원

김동희

현 웅

김다희

글Ega

세상에는 불변의 진리이자, 만물의 이치가 있습니다.
그것은 우리 모두가 과거에서 현재로 그리고 또 미래로 나아간다
는 것입니다.

조금 전, 불변의 진리와 만물의 이치를 읽은 당신이 과거가 되었듯,
현재의 당신은 다음 미래로 흘러가고 있네요.

봄의 향기로움도, 여름의 싱그러움도,
가을의 고즈넉함도, 겨울의 적막함도,
한 계절이 지나가면 또 다음 계절이 다가오듯,
우리는 과거를 지나 현재를 스쳐 미래로 흘러갈 것입니다.

그럼에도 때로는 흘려보내고 싶지 않은 순간들이 우리의 인생을
찾아오기에

누군가는 사랑이 담긴 연서를,

누군가는 미련이 담긴 편지를,

누군가는 위로가 담긴 메시지를 담았습니다.

각자의 굽이친 길을 따라 흘러온 우리는 잠시 이곳에 머무르며 저마다의 이야기를 담고 또 다음으로 흘러가겠지만, 이곳에 담긴 글이 잠시나마 당신이 머무르는 계절을 아름답게 만들어 주기를 바랍니다.

당신이 어떤 계절을 지나고 있더라도 또다시 다가올 향기로움과 싱그러움이 당신의 인생에 가득하기를 바라며 우리는 또 각기 다른 곳으로 최선을 다해 흘러가겠습니다.

당신이 흘러갈 미래가 늘 찬란하기를 진심으로 바랍니다.

- 공동저자 中 한승엽

차 례

회색 무지개

한승엽

한승엽 1992년 출생 부산 출신

다방면의 재주를 가지고 있지만, 경영학을 전공하고 일반적인 회사원으로 지내다 현재는 백수.

재주만큼 하고 싶은 것이 많아 새로운 도전을 하는 중이다.

"Only in the agony of parting do we look into the depths of love.
- George Eliot"

("이별의 아픔 속에서만 사랑의 깊이를 알게 된다. - 조지 엘리엇")

　붉은 벽돌로 지어진 아담한 4층 빌라가 줄지어 늘어져 있고, 바로 옆에는 작은 아파트 몇 채가 솟아있다. 뒤로는 높지 않은 산에 둘러싸여 소담스러운 곳으로 편의점과 미용실, 긴 산책로가 아름답게 있는 곳이다. 조금 멀리서 본다면 정겨운 작은 마을 같기도 했고, 사람도 차도 얼마 없어 한적한 곳이다. 하지만 차를 타고 십 분만 나가면 언제 그랬냐는 듯, 시끄럽고 바쁜 일상의 순간들이 펼쳐진 대도시가 자리 잡고 있었다. 훌륭하게 지어진 도시의 교통편과 잘 만들어진 도시의 인프라를 내어주고 출, 퇴근에 시간을 조금 더 할애한다면 주말은 한적하고 조용한 작은 마을에서 인생의 휴식을 취할 수 있을 것이다.

작은 건물 위로 나른하고 따사로운 햇살이 넘실거리는 기분 좋은 오후, 빌라의 꼭대기 층 한 곳에는 아직까지 침대에 누워 있는 한 남자가 있었다. 그는 조용하고 작은 마을에서의 휴식을 선택한 사람이었다. 창을 넘어 들어온 햇살이 그가 바라보고 있는 휴대폰 액정을 비추었다. 화면을 보는 것이 불편해졌는지 휴대폰을 덮고 밥을 먹을지, 조금 더 잠에 취할지 잠시 고민에 빠졌다. 찰나의 고민 후 그는 결국 평소와 같이 식사는 거르고 잠시 더 누워있기로 했다. 그가 덮은 휴대폰은 미처 꺼지지 못하고 시간과 요일을 알려주었다.

'AM 11:47 (화)'

여유롭게 주말을 보내는 사람처럼 누워있었지만 오늘은 화요일이었다. 그렇다는 것은 어떠한 사정으로 그가 잠시 쉬는 날이라고 생각할 수도 있겠지만, 안타깝게도 그는 백수였다. 누군가 그를 본다면 한심하게 볼 수 있을 백수의 모습 그 자체, 그의 나이를 고려한다면 한심함은 조금 더 증가될 수도 있었다. 그는 서른을 훌쩍 넘긴 나이였다.

얼마 전까지도 그는 사회를 구성하는 하나의 톱니바퀴로서 훌륭하게 맡은 업무를 수행할 수 있는 사람이었다. 하지만 세상은 생각보다 그에게 따듯하지 않았고, 그는 건강상의 이유로 회사를 퇴직하고 한 달째 휴식을 취하고 있었다. 나름대로 모아둔 돈도 있었고, 전세 대출로 얻은 집과 2년 전 할부를 모두 갚은 승용차도 있었다. 그는 시간과 돈이 있는 나름대로 여유가 있는 백수였다. 건강만 제외한다면.

가족과 친구들은 이번 기회에 여행도 가고 조금 쉬면서 세상을 즐기라고들 했지만, 그는 여전히 건강을 핑계로 침대에 누워 하루하루를 그저 흘려보내고 있었다. 가끔은 세상이 너무 빠르게 흘러가는 것 같다고 느끼며 자신이 알지도 못하는 누군가에게 뒤처지는 것은 아닐까 하는 생각에 사로 잡혀 불안했다. 하지만 곧 자신은 휴식과 회복을 위한 시간이 필요하다는 훌륭한 방패로 불안의 가시들을 막아냈다.

그렇게 느긋한 백수가 된 뒤로 그는 비로소 자신의 재능을 찾았다. 게으름 속에 빠져 백수로 지내는 것! 그렇다. 그는 백수가 자신의 천직이라고 생각했다. 느지막이 일어나 액정을 통해 세상 이리저리를 구경하고 배가 고프면 현대 문명의 이기를 통해 주문한 음식이 현관문 앞에 도착하면 식사를 했다. 집에 있는 세탁기와 건조기는 자신처럼 느긋한 백수가 되기를 바라는 듯, 일주일 간 빨래거리를 모아 집 앞에 있는 코인세탁소에서 한 번에 돌려버렸다.

그는 고단했던 자신의 성장과정을 핑계로 스스로를 합리화하며, 조금은 게으름을 누려도 된다고 생각했다. 어린 시절 국제 금융 위기로 아버지가 실직한 이후, 그는 형편이 좋지 않은 가정에서 누구보다 열심히 살았다. 다른 이들보다 뛰어나지는 않았지만 늘 노력했다. 환경을 탓하기보다는 주어진 상황에서 할 수 있는 것들을 했고 옳지 않은 일들은 행하지 않았다. 그렇게 평범하지 않은 환경에서 평범한 학창 시절을 보낸 그는 대학 진학 후 한 번도 아르바이트를 쉰 적이 없었고, 대학 졸업식보다 빠르게 취직하여 친구들 중에서는 가장 빠르게 사회에 발을 내디딘 어엿한 선구자가 되었다.

그리고는 직무와 산업을 바꿔가며 회사 옮겨 다녔고, 결국 그는 나고 자란 고향을 떠나 인구의 절반이 모인다는 수도권 끄트머리 한 구석에 본인의 보금자리를 만들었다. 그는 자신이 이룬 것들이 누군가의 눈에는 보잘것없을지라도, 그가 처한 환경 속에서 어느 누구도 자신만큼은 하지 못하리라는 자부심이 있었다. 하지만 그의 자부심은 어느새 게으름에서 빠져나올 수 없게 만드는 변명이 되어버리고 말았다.

변명과 게으름으로 무장한 그의 시간은 눈 깜빡할 사이에 흘러 어느덧 백수 경력 한 달이 되었다. 카드값을 계산하고 남은 잔고를 생각하다 보니 느긋함 속에서 조그맣게 싹을 맺은 불안이 어느덧 자신의 여유로움을 잡아먹고 있다는 것을 느꼈다. 그는 인생의 다음 결정을 해야만 했다. 언제까지고 누워있을 수는 없었다. 세상은 늘 침대 밖에 있다는 걸 그는 알고 있었다.

앞으로 해야 하는 일들과 다가올 일들을 생각했다. 문제는 집이었다. 전세 계약은 앞으로 4개월 정도 남아있었고 계약을 연장하던, 새로운 곳을 가던 전세 대출을 위해서는 직장이 있어야 했다. 오랜만에 움직이는 머리는 기다렸다는 듯 빠르게 회전하며 곧바로 일정을 생각했다. 계약종료 한 달 전 심사를 받기 위해서는 심사 전 급여 내역이 필요했다. 그렇게 되면 그에게 주어진 시간은 한 달의 시간 밖에 없었다. 더 이상 게으름에 빠질 수 없었고 그는 침대에서 일어났다. 침대를 빠져나오니 다시 현실에 부딪혔다. 집 안은 널브러진 옷가지들이 침대부터 시작해 모든 곳을 장악했다. 침실에서 옷 방까지는 마치 오솔길처럼 옷들 사이로 하나의 길이 나있었다. 심지어는 중간에 샛길로 거실과 주방으로 가는 길이 따로 있었다.

한 달간의 즐거움을 청산해야 할 시간이었다. 하지만 가장 많은 자산이 시간뿐인 그는 앞으로의 미래에 대해 깊은 고민에 빠졌다. 맹목적으로 일을 하기 위해 살아온 과거였고, 그로 인해 잃어버린 건강을 되찾기 위한 퇴직이었다. 또다시 단순하게 노동을 목적으로 하게 된다면 건강과 여유는 다시 오지 않을 것이라고 생각했다. 조금 더 고민하고 신중하게 선택해야 한다고 속으로 한 번 더 되뇌었다.

몸도 마음도 지쳐버린 그는 떠나온 고향이 그리웠고 가족과 친구들도 보고 싶었다. 경력도 있으니 다시 돌아가서도 직장을 구할 수 있을 것이라는 행복회로를 나름대로 구상했다. 과거의 생각들에 잠겨 일단은 구직 사이트를 돌아보자는 마음을 먹었다.

그는 또다시 자기소개서를 작성하고 구직을 해야 한다는 생각에 진절머리가 났지만 현실은 냉혹했다. 그는 현재 살아가기 위해 맞서 싸워야만 하는 시기였다. 목적 없이 채용 사이트 여기저기를 둘러보다 자기소개서와 성장과정을 먼저 작성해야겠다고 생각했다.

'자기소개서와 성장과정이라 …….'

늘 만나지만 언제나 새로운 두 녀석들을 상대하기 위해 그는 자주 사용하던 몇 가지 문구를 이용하여 빠르게 자기소개서를 작성했다. 이 제는 성장과정을 다시 손 볼 차례였다. 성장과정을 적기 위해 과거의 기억을 끄집어내어 바삐 움직이던 그의 손이 문득 갈 곳을 잃고 멈추었다.

그는 자신이 열심히 살아온 이십 대를 구구절절 어필하다 보니 참 재미없는 삶이라고 생각했다. 남들은 논다고 바빠서 적을 게 없다던 성장과정이 온통 취직을 위한 시간들로만 가득한 것 같았다. 잠시 왜 이렇게 살았는가 하는 청승에 빠져있던 찰나 그의 이십 대 가장 반짝이던 순간들이 기억나고 말았다. 그 순간들에는 늘 그녀가 있었다.

한 달간의 느긋함이 바쁘게 살아오던 그를 과거의 기억으로 이끌었는지, 고향에 대한 그리움과 기억들이 그를 데리고 왔는지 알 수 없었지만 더 이상 성장과정을 적을 마음이 들지 않았다. 컴퓨터를 끄지도 않고 그냥 침실로 걸어가 침대 앞에서 잠시 멈추었다. 그리고는 그대로 침대에 엎어졌다. 벽을 보고 엎어져 누워있는 모습은 7년 전 고향 집 침대에 똑같이 엎어져있는 자신과 겹쳐지면서 오버랩 되었다.

그날은 그녀와 헤어진 날이었다.

[7년 전, 이별의 순간]

  그녀와 이별 후 겨우 집으로 들어온 그는 지칠 대로 지친 몸으로 쓰러지듯 그대로 침대에 엎어졌다. 그는 한참을 침대에 누워 아무것도 하지 않았다. 엎어진 그의 눈앞에 있는 하늘색 벽에는 창에서 들어오는 빛이 반사되었다. 그는 시간의 흐름을 인식하지는 못했지만, 어느 순간 눈앞에 비치던 빛이 자리를 옮겨 갔음을 알아챘다. 그리고는 얼마 후 더 이상 빛이 들어오지 않는 것을 알았다. 그렇게 한참을 침대의 품 안에서 벽을 바라본 채 무의미한 시간을 흘려보냈다. 아마도 무의미하게 시간을 보내던 순간이 현재의 백수가 된 그의 시간과 같아 그를 이 기억 속으로 불렀을지도 모르겠다.

  얼마 지나지 않아 빛을 집어삼킨 먹구름은 세상을 향해 울음을 터트렸다.
  그는 빗소리를 들으며 누워 있었다. 그리고 그다음의 다음 날까지 빗소리를 들었다. 사흘간 쉬지 않는 비가 내렸다. 그는 잠도 자지 않고 누워 빗소리를 들었다. 세상을 덮은 비의 소리는 마음을 차분하게 만들어주기도 하였지만 지나간 추억들을 꺼내어 놓게도 하였다. 마음을 두드리는 비의 노크소리와 함께 지나온 추억과 기억에 몸을 맡기자 갑자기 그가 바라보던 벽이 무채색으로 물들었다. 빛을 가진 모든 것은 빛을 잃었고 그의 방은 회색으로 변했다. 누워있던 침대부터 방, 집, 도시를 지나 세상은 온통 잿빛으로 변했다.

세상이 탁한 빛깔로 잠기자 그의 기억은 다시 현재로 돌아왔다. 잠시 기억을 들여다본 그는 순식간에 과거에 붙잡혀 버렸다. 그가 누워 있던 방과 공간도 어느새 무채색으로 바뀌어 있었다. 그의 시간은 금세 과거를 더 거슬러 그녀와 처음 만나던 순간까지 도달해 있었다.

[9년 전, 스물셋의 겨울]

그는 군대를 전역하고 갖은 아르바이트와 학업을 병행하며 미래를 꾸려나가고 있었다. 새로 오픈하는 카페에서 아르바이트를 하게 된 그는 카페 경력이 있어 한 번에 합격하여 매장을 구성할 첫 번째 직원이 되었다. 매장을 열기 전부터 카페의 점장과 매니저를 도와 일을 하고 있었다. 매장을 오픈하기 전 다른 아르바이트 직원들이 뽑혔고, 그는 정직원이 아닌 파트타이머로서 채용에는 전혀 관여하지 않았다. 다만, 수능을 마친 열아홉 살의 직원이 채용되었다는 이야기를 어깨너머로 들었다.

이후 파트타이머들과 함께 오리엔테이션을 하는 날, 그는 그렇게 열아홉의 그녀를 처음 보았다. 그녀는 하얀 얼굴에 큰 눈과 얇은 입술 그리고 긴 생머리로 여성스러움이 묻어나는 사람이었다. 그는 그녀를 보자마자 첫눈에 반했고, 점장과 매니저에게 그녀와 같은 시간에 일을 할 수 있도록 열심히 언변을 늘어놓았다.

"아 점장님, 이 친구는 너무 어려서 경력이 제일 많은 제가 가르쳐야 잘할 수 있을 것 같습니다. 하하하."

그는 멋쩍은 웃음으로 점장에게 자신의 흑심을 조심스레 드러냈다.

"흠, 시간대가 맞으면 되는데 다른 친구들 시간대를 조정해야 ……."

"아! 제가 다른 친구들 스케줄 물어보고 시간대 정리해 놓았습니다. 하하."

그렇게 뒤에서 남모르게 노력한 그의 입김에 힘입어 그는 그녀와 함께 일하게 되었고, 결국 얼마 지나지 않아 그녀와 만나게 되었다. 친구들에게 도둑놈 소리를 들으면서도 늘 입가에는 바보 같은 웃음을 걸치고 친구들에게 그녀를 자랑했다.

몇 개월 뒤 그녀는 스무 살이 되었고 대학을 진학했다. 안타깝게도 그녀는 다른 지방의 대학에 붙었다. 더불어 그녀의 집은 또 다른 지역으로 이사를 했다. 그들의 추억이 젖은 도시를 그녀가 떠나야 하는 순간이 왔음에도 그는 자신의 노력으로 모든 것이 가능하리라 믿었다.

일 년이라는 시간이 흐르면서 많은 추억과 기억이 쌓여갈 무렵, 그는 어느덧 스물다섯이 되었다.

집안 형편으로 빠르게 취직을 해야 한다는 압박감 속에 아르바이트와 학교생활만 하던 그의 첫 연애는 불행히도 길고 긴 장거리 연애였다. 그러다 어느 날 그녀가 먼저 그의 손을 놓았을 때, 그는 성실함 밖에 없는 자신의 무기를 벗 삼아 한 번도 빠진 적이 없던 수업을 빠졌다. 그는 강의실을 박차고 나와 그녀에게로 향했다. 학교 앞 문구점에서 편지지를 구매하고 흔들리는 지하철과 버스에서 그녀를 붙잡기 위한 자신의 온 마음을 흐트러진 글씨로 가득 채웠다. 그렇게 그녀의 기숙사 머리맡 창문에 편지를 놓고 온 그날, 그들은 밤을 새워 통화를 했다.

마음속 한 구석에서는 늘 불안이 자리 잡았지만, 그는 애써 불안을 누르며 그녀와의 시간에 집중했다. 일 년 반을 조금 넘긴 그들의 연애는 그가 취직을 준비하는 시간에 들어서면서 조금씩 무뎌지기 시작했다. 오로지 돈을 벌어야 한다는 생각만 가지고 살아온 그가 조금씩 제자리로 돌아오기 시작한 것이다.

이별의 기억이 수면 아래에서 떠오르는 찰나에 그는 누워있던 몸을 일으켰다. 일어서는 그와는 반대로 눈물은 중력을 이기지 못하고 아래로 떨어졌다. 7년이라는 시간이 지났음에도 여전히 그는 이별의 순간에 멈춰 있는 듯했다. 멍해진 머릿속을 정리하고자 옷을 챙겨 옥상으로 올라갔다. 조그마한 동네는 언덕이 보이고 그 앞으로는 밭이 있었다. 참 조용한 동네였다.

더 깊은 기억 속을 여행하고 싶지 않았던 그는 쌀쌀해진 옥상에서 내려왔다. 생각을 하고 싶지 않아 게임이나 하자는 생각에 다시금 컴퓨터 앞에 앉았다. 홀로 자리를 지키던 컴퓨터가 다시 소리를 내자 꺼졌던 모니터가 켜졌다. 모니터 너머에는 다시금 성장과정이 나타났다. 일자리를 구해야 한다는 현실에 돌아왔음을 깨달아 버린 그는 성장과정을 주절주절 적어나갔다.

한참을 키보드를 두드리며 시간을 허비하다 지쳐버린 탓에 작성하던 내용만 저장을 하고 빠르게 컴퓨터를 종료했다. 잠시 앉아 있던 그는 침대로 향했다. 게으름의 흔적들은 여전히 그의 발에 치였다. 다음 날은 옷을 정리하고 다시 구직을 해보겠다는 마음을 다잡고 잠자리에 들었다. 늦은 취침 탓일까 그날 그는 꿈을 꾸었다.

[7년 전, 침대에서 두 시간 전]

그녀의 집 근처 언덕길, 비탈길의 도입에서 길을 올려다보면 한눈에 끝이 보일 정도로 완만하지만 긴 언덕길이다. 언덕길을 경계로 좌우로는 조그마한 주택과 빌라들이 있었고 나름 운치가 있는 동네였다.

오르막이 시작되기 전까지 조심히 걸음을 옮기던 그는 그녀에게 나지막이 말했다.

"이제 그만 가야 해, 앞으로는 너 혼자서 가야만 해……."

얼마간의 적막 뒤에는 울음소리가 들렸다.

겨울까지는 아직 한 계절만큼 공백이 있음에도 차갑게 돌아서는 그의 뒷모습은 언뜻 겨울의 서늘함이 묻어나는 듯했다. 그는 그녀를 등지고 언덕의 내리막으로 발걸음을 옮겼다. 그녀가 자신을 바라보고 있을 것이라는 생각에 절대 뒤돌아보지 않겠다는 다짐을 속으로 되뇌었다. 하지만 내리막의 절반도 내려오지 못한 채 다짐은 부서졌고 그는 고개를 돌렸다.

그러나 그녀는 그저 고개 떨어뜨린 채 그곳에 우두커니 서 그가 던진 날카로운 말에 다친 상처를 달래고 있었다. 이내 그는 몸을 돌려 다시 언덕 아래로 발걸음을 이어 나갔다. 조금 더 그녀에게서 멀어졌을 것이라는 생각에 언덕 초입에서 다시 한 번 뒤를 돌아보았다. 그녀는 천천히 언덕길을 오르고 있었다. 만약 지나가는 누군가 언덕을 바라본다면 그 모습은 단지 그곳의 배경처럼 자연스러운 풍경이었다. 하지만 아무도 그들이 세상에서 가장 큰 아픔을 짊어진 채 서로를 교차하고 있으리라고는 생각하지 않았을 것이다. 그만큼 그들은 헤어짐은 자연스러운 것처럼 보였다.

그녀의 뒷모습을 본 그는 앞으로 혼자 걸어갈 그녀의 생각에 잠시 가슴이 시리면서도, 계속해서 그녀가 그곳에 머물지 않고 걸음을 옮길 수 있음에 진심으로 안도했다. 그는 여전히 그녀를 사랑했다. 하지만 그는 오로지 자신의 미래만을 위해 걸어갈 시간을 그녀와 함께 걸어갈 자신이 없었다. 그는 아직 어렸고 그녀는 자신보다 더 어렸다. 그녀에게 자신의 모든 사정을 말할 자신도, 그녀가 모든 것을 이해해 주고 찬란하게 빛나야 할 순간들에 쓸쓸히 그의 옆을 지키는 모습을 볼 자신도 없었다. 그녀는 자신과는 다르게 조금 더 기쁘고 행복한 일들이 가득한 시간을 보내기를 그는 진심으로 바랐다.

언덕 중턱까지 올라간 그녀를 바라보며 그는 혹시 그녀가 돌아보지 않을까 하는 기대와 동시에 불안함을 느꼈다. 혹여 그녀가 돌아보는 고개에 눈이 마주칠까 다시금 반대편으로 급하게 걸음을 옮겼다. 그녀의 얼굴을 보게 된다면 자신이 언제든 뛰어갈 것이라는 걸 그는 마음속 깊이 알고 있었다. 그러니 자신의 매몰찬 뒷모습을 보고 어떠한 미련도 느끼지 않길 바라는 마음으로 더 이상 뒤돌아보지 않겠다고 한 번 더 다짐했다. 그래야 그녀는 앞으로도 혼자서 길을 걸어갈 수 있을 것이라고 믿었다.

그는 가까스로 언덕길의 끄트머리까지 내려왔다. 붉은 벽돌의 낯익은 빌라들 사이를 지나 익숙한 골목으로 들어섰다. 그녀를 데려다 주기 위해 늘 함께 올라왔던 길, 그녀가 자신을 만나러 오기 위해 늘 내려왔을 길, 그의 걸음은 그곳에 담긴 기억 하나하나 모두를 온전히 가져가려는 듯 느릿한 걸음이었다. 땅을 보며 걸음을 내딛던 그는 잠시 환기를 시키려는 듯 한숨을 뱉으며 고개를 들었다. 거리의 풍경이 시선에 담겼다. 거리의 아득히 어린 시절부터 그곳을 지켰을 법한 오래된 식당, 흰색의 인테리어와 초록빛 식물의 조화가 인상적인 야외 테라스 카페, 단순하지만 깔끔하게 정돈된 테이블이 있는 떡볶이 집, 눈부신 조명들이 덕지덕지 붙어 거리를 빛내는 선술집, 그의 시선이 머무는 모든 곳들에서 그녀와의 추억이 살아 있었다. 그는 그 기억을 모두 돌아보며 천천히 주변을 거닐었다.

그의 느린 걸음은 어느새 지하철역까지 다다랐다. 언덕길에서 지하철역까지는 빠른 걸음으로 10분 정도면 걸을 수 있는 거리였다. 그럼에도 그가 언덕을 등지고 지하철역에 다다르기까지는 한 시간이 조금 넘는 시간이 걸렸다. 지하철 정거장을 내려오며 그는 뒤를 돌아보았다. 그곳엔 자신이 곱씹으며 걸어온 거리만이 놓여있었다. 잠시 멍하게 서있던 그는 빠른 걸음으로 지하철 계단을 내려와 개찰구에 교통카드를 찍고 자연스럽게 안으로 빨려 들어갔다. 그 이후부터는 그에게 선명한 기억은 없었지만, 어느 순간 그렇게 그는 집에 들어와 침대에 파묻혀 있었다.

그리고 사흘간의 비가 내렸다.

침대에 파묻힌 그의 모습은 어느새 서른을 넘긴 현재로 바뀌어 있었다. 그는 평소보다 더 늦은 시간에 일어났다. 게으름의 수렁에 빠져있던 그는 어젯밤 다짐했던 청소가 생각이 났다. 하지만 그는 지체 없이 내일의 계획으로 청소를 미뤄버렸다. 게으름과 많은 시간은 어느덧 그의 든든한 아군이었다.

그는 아군들과 함께 흘려보낸 어제를 되돌려보았다. 구직 사이트를 들어갔다가 과거에 빨려 들어가 버렸다. 후회를 했지만 시간은 돌아오지 않았다. '오늘부터라도 시작하면 된다.'라고 혼자 속삭이며 침대를 탈출했다. 그는 다시 컴퓨터를 켰고 저장된 글들이 있었다. 그는 저장된 글에 수정을 더하며 자기소개서를 완성하였다. 입사 지원을 위해 채용정보 탭을 누르며 직무와 경력을 선택했다. 지역을 선택하는 탭에서 잠시 마우스가 머뭇거리다 떠나온 고향을 눌렀다.

어제의 기억 때문일까 그는 고향이 그리웠다. 고향이 그리워지자 가족과 친구들이 떠올랐다. 그리고는 자연스럽게 다시 그녀가 떠올랐다. 얼핏 꿈에서 이별 장면을 본 것 같다고 생각했다. 그러자 게으름에 빠져버린 그의 몸은 이내 기운을 잃고 또다시 침대로 향했다. 그는 한 번 더 침대에 그대로 엎어졌다.

[7년 전, 침대에서 사흘 후]

　이내 무성해진 파도 소리들로 기억들을 씻어 내렸다. 마치 모든 기억들을 씻어내기 위한 시간인 것처럼 그는 빗소리에 집중했다. 얼마의 시간이 지났을까, 비가 그치고 마침내 해가 떠올랐다. 그는 동면을 마친 동물의 모습으로 눈을 뜨고 자리에서 일어났다. 일어나 담배를 꺼내 들고 집을 나섰다. 약간의 현기증과 헛구역질이 올라왔지만 대수롭지 않은 듯 집 앞 공터로 나갔다.

　그는 담배에 불을 지폈고, 사흘간의 장마로 온 세상을 물들였던 비를 뚫고 불꽃을 태웠다. 그렇게 새로운 시간을 맞이했다. 그는 일상으로 돌아왔다. 학교 다니며 수업을 들었고, 친구를 만나고 게임을 했으며, 하루하루는 그녀와 만나기 전과 다르지 않았다. 밥을 먹고, 커피를 마시며, 수다를 떨고, 취미를 즐겼으며 상처 없는 사람들과 별 다르지 않은 하루들을 보냈다. 얼마 동안은 문득 그녀의 모습이 보이는 듯했지만 잔상은 오랜 시간 그를 괴롭히지 못했다.

　첫 이별은 크나 큰 잔상과 파도를 만들어 그를 덮쳤다. 세상 전체를 무너뜨릴 듯 거대한 해일이 그를 둘러쌌지만 그는 온전히 그곳에 서서 파도를 맞이했고, 해일은 결국 그를 쓰러뜨리지 못했다. 그는 그렇게 자신이 어른이 되었다고 생각했다.

모든 것은 자연스러웠으며, 일상과 같았고, 평소와 다르지 않은 시간이 흘러간다고 생각했다. 지루하면서도 고독한 시간들, 사실은 찬란하며 반짝이고, 절망하며 무너지는 하나의 순간보다 인생에서 함께할 시간이 더 많은 순간들, 그렇게 그 지루한 시간들과 다시 익숙한 시간을 보냈다.

이후 그는 대학 졸업 전 취직을 했고 직무를 바꾸기 위해 잠시 고전을 했지만, 그가 원하는 직무로 이직에 성공했다. 경력을 쌓아가면서 수도권에 입성한 그는 남들과 다르지 않은 사람이 되기 위해 남들보다 더 많은 노력을 쏟은 스스로를 믿었다. 그 시간들로 인해 더 나은 삶이 그를 기다릴 것이라고 굳게 믿었다. 그렇게 원하는 산업으로 한 번 더 이직을 하면서 그는 모르는 사람이 보기에 꽤 그럴싸한 어른이 되어 있었다.

하지만 기대하던 다음의 삶을 만나보기도 전에 그의 체력은 빠르게 고갈되었고, 남들보다 많은 에너지를 쓴 탓일까 건강에 이상이 생기고 말았다. 몸이 아파지자 그는 모든 것이 부질없다고 느끼는 날들이 많아졌고 결국 퇴직을 결심하며 건강을 되찾고 새로운 삶을 살겠다고 다짐했다.

그렇게 또 서른의 백수는 침대에 엎어져 하루를 흘려보내버렸다.

게으름과 여유에 빠진 그는 더 이상 예전의 생기 넘치던 그가 아니었다. 그는 어느덧 인생의 삼분의 일을 살았고 나름 자부심도 느낄만한 삶을 만들었다고 생각했다. 그러나 건강을 잃어보니 자부심과 함께 자신이 쌓아온 시간이 모두 헛되게 느껴졌다. 이전 이직을 할 때는 기계처럼 일주일에 몇 개씩이나 자기소개서와 입사지원서를 써서 제출할 수 있었지만 왜 지금은 되지 않는지도 생각했다. 침대에 누워서는 도무지 생각이 나지 않을 것 같다는 생각으로 소파에 잠시 몸을 기대고 생각에 잠겼다.

직무를 변경할 때, 산업을 변경할 때 모두 목적이 있었다. 하지만 지금의 그는 목표가 없었다. 단순히 전세 연장을 위해 일을 해야 한다는 생각뿐이었다. '연장을 하지 않고 고향으로 내려가면 되지 않을까?' 하는 마음의 외침에 귀를 기울였다. 그의 지친 심신은 이내 귀향으로 초점이 맞추어졌다.

고향에 내려가더라도 이제는 부모님 집에 얹혀살 수도 없는 노릇이다. 이미 방 두 개와 거실을 모두 채운 짐들을 버릴 수는 없으니 말이다. 그렇다면 고향에 가더라도 직장을 구하고 내려가야 한다. 결국은 일을 해야 했다. 귀향을 다짐하자 이내 또다시 그녀가 불쑥 고개를 내밀었다. 그녀는 지금 어디에 있을까? 함께 만든 기억을 가진 그곳에 그녀가 있을지, 아니면 자신처럼 다른 곳에서 새로운 삶을 만들어가고 있을지, 궁금해졌다.

궁금함은 이내 그의 머리와 마음을 잡아 삼켰고 온통 그녀의 생각에만 집중했다. 그러다 혹시 그녀와 다시 만날 수 있을까? 하는 잡념들이 그의 머리 곳곳을 채웠다. 생각을 떨쳐보려 했지만 인간의 의지는 뇌를 쉽게 이길 수 없었다.

계속해서 떠오르는 과거 속을 헤엄치던 그는 문득 이별 후 빛을 잃고 모든 것이 회색으로 변해버렸던 순간이 떠올랐다. 그리고 그는 현재의 자신은 무슨 색을 띠고 있을지 생각하며 주변을 둘러보았다. 그는 텅 비어있는 자신의 회색빛 집을 마주했다. 그리고 마침내 그는 깨달았다. 그날 이후 그는 색이 없었다. 모든 것은 회색이었고 세상은 무채색이었다. 재의 빛깔 속에서 무엇인가 잊기 위해서 그저 앞으로 내디뎠던 그는 이별을 후회하고 그 후회를 덮기 위해 자신이 정한 길이 옳았어야만 했다는 것을 깨달았다.

그렇기에 그는 더 열심히 노력했고 더 열심히 일했다. 남들보다 더 움직였던 그의 몸은 지쳤고, 잠시 시간을 달라고 소리쳤다. 다행히도 그는 자신의 몸이 외치는 소리에 반응했고 잠시 멈추자 잊었던 것들이 떠올랐던 것이다. 무작정 앞으로 달려가다 목표를 잃고 시간을 얻게 되자, 그의 무의식은 잃었던 빛을 찾기 위해 과거를 탐닉했을 것이다. 그는 자신이 빛나던 순간은 오로지 그녀와의 시간뿐이었음을 깨달았다. 그는 7년 전 침대에 엎어진 순간부터 빛을 잃었고, 지금도 그는 회색빛의 사람이었다.

그의 몸과 마음은 다시 색이 발하고 싶었는지 그녀와의 다른 순간이 떠올랐다.

[8년 전, 스물넷의 가을]

그는 아침 일찍 수업을 위해 집을 나섰다.

"지하철까지는 15분, 지하철을 타고 학교까지는 50분, 강의실까지 15분 ……."

앞으로 걸리는 시간을 생각하며 도착 예정 시간을 고민했다. 정리되어 있는 시간표를 보며 점심은 언제 먹을지 마치는 시간은 언제인지 계산을 마쳤다. 그리고는 휴대폰 상단의 날짜를 확인하고 머리를 감싸쥐었다. 스펙을 쌓기 위해 하던 대외활동의 취합 데이터를 제출해야 하는 날이었다. 수업이 끝나면 그는 건너 학교의 제2 캠퍼스로 이동해야 했다. 이동 시간이 늘어난 그는 제출할 수 있는 시간이 언제 있을지 고민에 빠졌다. 이런저런 시간을 생각하다 지하철역까지 도착한 그는 지하철에 몸을 싣고 곧바로 책을 펼쳐 어려운 수업을 따라가기 위해 자신의 뇌를 독려하며 몸부림을 쳤다.

오후까지 수업을 마친 그는 데이터 제출을 위해 버스를 타고 1시간을 이동했다. 자료를 제출하기 위해 올라왔다 내려가는 왕복 2시간이 너무도 고통스러웠다. 습관처럼 시계를 확인하던 그는 곧바로 지하철을 타고 시외버스터미널로 향했다. 오늘은 그녀를 데리러 가는 날이

었다. 터미널에 도착한 그는 자연스럽게 버스티켓을 끊고 자리에 앉았다. 버스에 오른 그는 쉴 새 없이 그녀에게 자신의 현재 위치를 알렸다. 1시간 30분의 시간이 지나 이제는 익숙해져 버린 터미널에 내려 빠르게 그녀의 학교까지 그를 데려다줄 다음 버스 시간을 찾고 있었다.

그녀를 만난 그는 함께 고향으로 돌아왔다. 그녀를 이사한 집까지 데려다 주기 위해 그들은 한 번 더 시외버스터미널에서 또 다른 버스를 기다렸다. 그녀의 새로운 보금자리는 교외에 새롭게 지어진 작은 도시였다. 작은 도시에 도착한 그들은 터미널에서 그녀의 집까지 함께 걸으며 시시콜콜한 이야기들을 주고받았다. 그녀와의 짧은 시간을 뒤로하고 그는 또다시 버스에 기대어 고향으로 돌아갔다. 그가 하루에 이동한 시간은 10시간에 육박했다. 하지만 버스에서 내려 자신의 집으로 향하는 막차를 탄 그의 입가에는 미소가 놓여 있었다.

그는 다시 생각해도 이해할 수 없는 스물넷의 자신에게 스스로 질문을 던졌다.
'젊어서 가능한 거야? 아니면 그 사람이라서 가능했던 거야?'
스스로의 질문에 문답을 하며 자신만의 결론에 이르렀는지 홀린 듯 그녀의 전화번호를 눌렀다. 당연하게도 그는 그녀의 번호를 잊어본 적이 없었다. 십 년 넘게 가족들과 맞추어 쓰던 번호를 포기하고 그녀와 함께 맞춘 번호를 아직까지 사용하는 사람이었으니 말이다. 사실 이제야 자신의 진심에 도달한 것 같았지만, 여태 번호를 바꾸지 않았던 것처럼 그는 계속해서 그녀를 그리워했다. 그는 계속해서 그녀가 생각났고 미련이 담긴 말들로 그녀에게 다시 다가가 보고 싶었다. 몇 년에 걸친 망설임을 이긴 그의 손이 통화 버튼을 눌렀다.

'뚜- 뚜- '

몇 번의 통화음을 듣고 그는 급하게 전화를 끊었다. 그녀가 자신의 번호를 차단했을 수도 있다는 생각에 도달했기 때문이다. 그녀에게 자신은 지나간 사람이면서 동시에 미운 사람일 것이다. 기회가 된다면 그녀에게 사과를 하고 싶었다. 사실은 다시 그녀와 만나고 싶었다.

아직도 그는 이별의 아픔 속에서 자신이 유일하게 사랑했던 단 한 사람을 계속해서 그리워하고 있었다. 많은 시간이 지나 비어버린 그들의 시간을 늘 후회하며 살았다. 누군가에게 말하지 못했던 많은 마음속의 말들이 그의 무의식에서 계속해서 튀어나왔다.

인생의 기로에 놓이자 그의 선택은 주저 없이 가장 높은 가치로 귀결되었다. 하지만 그들의 방향과 시간이 어긋나 버린 만큼 그 시간을 메워야 할 말들이 필요했다. 잇따르는 생각은 단 하나였다. 온 마음을 다해 그의 진심을 말하는 것, 긴 시간이 지났음에도 그는 여전히 이별 중이었고, 여전히 사랑을 하고 있었다. 그는 조지 엘리엇이 했던 말이 떠올랐다.

'Only in the agony of parting do we look into the depths of love.'
('이별의 아픔 속에서만 사랑의 깊이를 알게 된다.)

너무나도 오랜 시간 스스로의 아픔을 외면했던 그가 진실을 마주했다. 그는 헤아릴 수 없는 깊이의 아픔에서 자신이 그녀를 얼마나 사랑하는지 조금은 알게 되었다. 고뇌 끝에 다시 그녀의 번호를 눌렀지만, 통화 버튼은 누를 수 없었다. 부재중 통화 내역이 남아있을 것 같다는 상념을 날려버리고자 다시 컴퓨터 앞에 앉아 생각 없이 몰두할 거리들을 찾았다.

그 순간 그의 휴대폰이 울렸다. 휴대폰에는 낯익은 번호와 함께 오색찬란한 빛이 전화가 왔음을 알렸다. 휴대폰은 따뜻한 색감을 띤 화면으로 가득 찼다. 휴대폰을 집어든 그의 회색빛 손짓은 전화에서 흘러나오는 무지개 빛깔로 조금씩 물들어갔다.

가을 환승역에서

안정애

안정애 순간에 영원을 부여하기 위해 글을 쓴다

30년 이상을 직장인으로, 20년 이상을 누군가의

엄마와 아내로 살았다.

어느새 인생의 가을, 환승역에서 '문학행'이라는 기차를 타고 여행을 떠나고자 한다

blog: blog.naver.com/judyan2008/223161269995

1. 가을, 터닝포인트

"이 세상은 아름다운 무대요,

인생은 한 편의 연극이며

그 연극에서

나는 위대한 주연 배우다"

윤하는 직장에서 탁월한 업무능력을 인정받아 잘 나가는 직장여성
이었다.

적어도 갱년기가 오기 전까지는, 직장도 가정도 어느 하나 큰 문제
없이 잘 이끌어 왔다. 윤하가 삶의 긴장감이 떨어졌다고 느낀 것은 정
확히 언제부터인지 는 알 수 없지만 아마도 연년생인 아들과 딸이 대
학교를 진학한 뒤 아들은 군대로, 딸은 학교 기숙사로 떠나 버린 후부
터일 것이다. 이때부터 삶의 의욕과 활기가 떨어지는가 싶더니 일상생
활이 조금씩 흥미를 잃고 시들시들해지기 시작했다. 남들이 말하는 사

춘기보다 더 무서운 갱년기가 시작된 것이다. 몸과 마음이 예전 같지 않았다. 몸은 고장 난 전기장판처럼 하루에도 몇 번씩 열이 올랐다 떨어지기를 반복했고, 마음도 대수롭지 않은 일에 우울했다가 또 심각했다가를 반복했다. 마음먹은 데로 몸이 움직여 주지 않고 몸 따로 마음 따로, 몸과 마음의 별거가 시작되었다. 그동안 앞만 보고 바쁘게, 무작정 달려왔던 윤하는 인생의 번아웃 지점까지 왔음을 어렴풋이 직감했다. 그래서 작년 가을에 왼발 골절상을 당했을 때는 이참에 잘되었다 싶어 직장에서의 승진을 과감하게 내려놓고 잠시나마 마음의 쉼표를 찍고자 3개월간 휴직을 감행해 보기도 했다. 잘 다니던 직장을 잠시라도 휴직한다는 것은 앞으로의 승진을 포기하고, 모든 불이익 또한 감수하겠다는 것을 의미한다. 그 짧은 기간의 가뭄 속 단비 같은 휴식으로 몸과 마음이 회복되어 예전의 생기를 조금씩 되찾아 가기도 했다. 3개월 동안의 쉼표는 윤하를 더욱더 복잡하고 깊은 생각의 숲으로 인도하였다

"인생 후반전을 다시 시작하려면 예전 것을 과감히 버려야 하지 않을까?"

"무엇인가를 버리려면 터닝 포인트를 먼저 해야 해!"

"터닝 포인트를 하기 위해서는 준비가 필요하지!"

윤하가 인생 후반전에 새롭게 시작하고 싶은 것은 글을 쓰는 작가가 되는 것과 카페를 운영하는 것이다.

강산이 5번 이상 바뀐 인생의 시간과 강산이 3번 바뀐 직장생활을 해오면서 그토록 해보고 싶던 것이 바로, 글을 쓰는 작가가 되는 것이

었다

오랜 세월 동안 남이 쓴 글을 읽는 독자였으나, 이제는 자신이 직접 쓴 글을 남이 읽는 저자가 되고 싶었다.

물론 작년 여름에 전자책을 한 권 출간해서 어쩌다 간신히 작가로 데뷔하기도 했다. 작년 겨울에는 집에서 1시간 정도 떨어진 거리에 위치한 충주에 카페 할 만한 건물과 토지를 구입해 놓기도 했다.

이제 남은 일은 직장만 그만두면 되는 것이다.

30년 이상 다닌 직장을 하루아침에 그만두기란 여간 어려운 일이 아니다.

경력이 많은 나이 든 직장인이다 보니 직장 다니는 것에 탄성이 붙어서 계속 다니는 것보다 그만 두는 것이 훨씬 더 어렵게 느껴졌다.

2. 그만 둘 결심

달력의 앞자리가 한자리에서 두 자리로 바뀌는 10월이 되었다. 계절의 무게가 느껴지는 10월이다. 그 찬란했던 태양의 계절은 이미 가을로 넘어와 있었다.

10월 초 토요일 오전인데 하늘이 온통 회색빛에다 낙엽이 물기를 머금은 잔뜩 흐리고 안개비가 내리는 날씨이다

이렇게 비도 오고, 분위기 있는 토요일 오전에는 집에서 마시는 밋

밋한 커피보다 카페에서 마시는 특별한 커피가 제격일 거라 생각했다.

신봉동에서 시설이 좋은 대형 브런치 카페인 카페랄로에 가려고 나왔다. 그런데 카페랄로의 넓은 주차장은 이미 만원이라 주차할 자리가 없었다.

하는 수 없이 차선책으로 가장 자연 친화적인 신봉동 계곡 카페인 코나 레이븐으로 자동차를 돌렸다. 역시 선택을 잘 한 것 같다. 코나 레이븐 카페 뒤에 위치한 주차장에 도착하자마자 청량하고 맑은 공기가 가슴속 깊이 들어와 마음이 시원해지기 시작했다.

카페 입구에는 밤에 내린 비와 바람으로 떨어진 낙엽들이 이리저리 뒹굴고 있었다. 가을이 깊어 갈수록 낙엽은 물들어 갈 것이고, 알록달록 예쁘게 물들었던 낙엽이 지고 난 뒤에는, 결국, 바닥으로 떨어져 누군가에 밟히거나 누군가에 의해 치워질 운명에 처할 것이다.

비가 오는 오전 시간임에도 불구하고 코나 레이븐 카페 안의 테이블은 몇 자리 남아 있지 않았다. 카페 안은 갓 볶은 하와이 코나 커피 향이 진동하고 있었다. 다행히 딱 한 자리 남은 창가 테이블에 자리를 잡고 앉자마자, 굵은 장대 빗줄기가 "후드둑, 후드둑" 사정없이 창문을 때리더니 바닥으로 떨어졌다.

음악이 흐르는 잔잔한 카페 안과 사나운 장대비가 내리는 카페 밖은 흡사 다른 세상 같았다. 아마도 따뜻한 온실 안 세상 속에서 너무 오랫동안 생활한 사람은, 거칠고 추운 온실 밖의 세상에 나가기가 무척 두려울 것이란 생각이 불현듯 머리를 스쳐 지나갔다.

잠시 뒤, 카페 직원이 아메리카노와 아인슈페너가 담긴 쟁반을 테이블 위에 올려 놓고 갔다. 윤하는 아인슈페너가 담긴 머그잔을 들고 크게 한모금 마시고 나서 창밖의 비내리는 풍경과 계곡에 아직 남아 있는 초록빛 나뭇잎을 응시하며 생각에 잠겼다. 50대 중반에 맞이하는 이번 가을은 왠지 예사롭지 않고 모든 것이 특별했다.

가을에 내리는 비도, 떨어지는 낙엽도, 나무 사이로 부는 바람도, 창가로 스미는 햇살도, 파란 하늘조차도, 가을이라는 계절의 일거수일투족이 윤하에게는 모두 특별한 의미로 다가왔다. 무언가 절실한 선택의 갈림길에 서 있기 때문이다. 윤하는 이번 가을에 인생 후반전을 결정지을 중대한 결심 내지 선택을 해야 하기 때문이다. 20대 초반에 시작해서 50대 중반까지 33년 동안 재직했던 직장을 그만두려고 한다.

직장을 떠날 결심을 하는 데 왜 이리 많은 미련들이 남아서 윤하의 발목을 잡는지 모르겠다. 직장을 그만두면 남들이 말하는 직장에서의 승진, 사회적 대우, 경제적 혜택, 인적 네트워크에서 영원히 멀어질 수 있는 것이다.

창밖에는 굵은 비가 계속 내리고 있다고 생각했는데 어느 순간, 언제 비가 내렸냐는 듯이 카페 안의 테이블 위로 연한 아메리카노 색의 투명한 햇빛이 스며들어 오기 시작했다. 카이로스의 순간이었다

그 눈부시고 따뜻한 햇빛을 보는 순간, 윤하는 언젠가 들었던 오프라 윈프리의 말이 떠올랐다.

'나의 미래는 너무 밝아서 눈이 부시다.'

윤하가 그토록 고민한 것은 앞으로 직장을 그만두고 나서 불분명하게 다가올 미래에 대한 걱정이었다. 그런데 비가 개인 뒤 카페 안으로

들어온 한줄기 눈부신 햇빛이 윤하의 불안한 마음을 따뜻하게 위로해 주고 잠재워 주는 것 같았다. 윤하는 앞으로 혹시 실패가 있을지라도 밝고 눈부신 미래에 대해서만 생각하기로 하였다. 부정적인 생각에서 벗어나 긍정적인 마음의 소리를 들으며, 마음이 이끄는 대로 자신의 미래를 선택하겠다고 결심했다.

3. 새들처럼 자유롭게

행복의 한쪽 문이 닫히면 다른 문이 열린다.
그러나 우리는 흔히 닫힌 문을 오랫동안 보기 때문에
우리를 위해 열려 있는 문을 보지 못한다
-헬렌 켈러-

11월 초에 윤하는 직장을 그만두기 위해 사직원을 제출했다.
12월 중순이 되어서야 퇴직과 관련된 복잡한 업무절차가 모두 끝이 나서
집으로 돌아오는 자유의 몸이 되었다.
12월 중순의 어느 월요일 아침, 출근하지 않고 베란다에 나와 잠시 햇빛을 쐬다가 고층 아파트 상공위로 자유롭게 하늘을 날아 오르는 새들을 바라보자 크게 소리쳤다

"야, 드디어 자유다, 나도 날아가는 저 새들처럼 자유롭게 살고 싶다"

윤하는 자신이 직장이라는 새장 속에 너무 오래 갇혀 있었다고 생각했다. 33년 동안이나 새장 속에 갇혀 학습된 무력감에 젖어 날지 못하다가 순수 자유의지로 그 새장을 나오긴 했어도 과연 잘 날 수 있을지는 모르겠다고 생각했다. 어쨌든 새장에서 탈출한 것은 참 잘한 일이다.

윤하는 자유를 얻은 첫날을 기념하기 위해 빠르게 옷을 입고, 화장하고

오리역 CGV로 향했다. 뮤지컬 영화 '맘마미아'를 보기 위해서이다.

영화 '맘마미아'를 보면서 신나는 노래를 따라 부르며 진정한 해방감을 마음껏 느끼고 싶었다. 극장 상영관에는 평일 오전 시간이라 자리가 텅텅 비어 있어 마치 극장 상영관 전체를 빌려서 영화를 보는 느낌이었다. 맘마미아는 지중해의 아름다운 바다와 경쾌한 댄스 음악 그리고 진한 감동이 살아 있어 모든 걱정을 저절로 사라지게 하는 멋진 힐링 영화였다. 영화를 보는 내내 주인공 도나가 윤하에게 이렇게 말해 주고 있는 것 같았다.

"윤하! 인생은 짧고 세상은 넓어. 앞으로 멋진 추억을 많이 만들면서 살아 보길 바래!"

영화를 보고 나니 살짝 출출한 허기감이 몰려왔다. 다른 건 다 참아도 배가 고픈 건 참기 힘들다. 윤하는 차를 빠르게 운전해서 광교 웰빙타운 브런치 카페 5월 정원으로 이동했다.

5월 정원의 대표 메뉴인 파스타와 곁들인 브런치와 커피를 주문해서 먹었다. 5월 정원 창가로 투영되는 햇빛이 너무 밝아서 눈이 부셨다

　도시에서의 직장생활에 지치고, 힘들어하던 윤하는 결국, 직장을 그만둘 마음을 먹게 되고 어느 가을 모날 모일 모시에 신봉동 카페의 창문을 통해, 비가 내린 뒤 스며 들어온 한 줄기 햇살에서 밝고, 눈부시게 다가올 미래의 모습을 예감하고 직장을 그만둘 결심을 확실히 굳혔다.

　그리고 결국 퇴직을 실행에 옮겼다.

4. 전원생활의 힐링과 글쓰기

　직장을 그만두고 나서 허니문과도 같은 1년이 너무도 빨리 혹 지나갔다. 크리스마스와 연말연시의 시간이 어떻게 지나갔는지도 모르게 빛의 속도로 지나가 버렸다. 봄을 시샘하는 꽃샘추위도 한여름의 더위와 장마도 한참 전에 지나갔다. 대지는 온통 코스모스 만발하고 은행잎이 떨어지는 천고마비의 가을날이 며칠 동안 계속되었다. 계절은 어느 사이에 부지런히 10월로 달려와 있었다. 작년과는 또 다른 10월이 시작되었다.

　윤하는 충주 남한 강변에 위치한 아름다운 동네에 전원주택을 지었

고, 2차선 길가와 접한 전원주택 앞마당에 작은 카페를 차려 운영하고 있다. 근처에 목계솔밭 캠핑장이 위치해서, 주말에는 사람들이 나름 많이 오고 가는 곳이다.

조금 떨어진 시내에는 온천도 있고, 골동품 거리도 있고, 예쁜 공원도 있다

처음에는 광교 아파트에서 5일 정도 지내다가 충주 전원주택에서 2일 정도 지냈으나 점점 전원주택에서 지내는 시간이 많아지고 있다.

도시에서의 삶이 항상 시간에 쫓기고 빡빡한 데 비해 시골에서의 삶은 느리고 여유가 있고 평화롭다.

9월부터 문학 동호회 지인들과 공저를 시작하다 보니 절대적인 글쓰기 시간이 필요해서 전원주택 한쪽 편 집필실에서 집중해서 글을 쓰고 있다.

카페는 윤하의 남편 준호가 운영하고 있다. 윤하는 글을 쓰는 작가가 되었고, 준호는 윤하 대신 카페에서 커피와 차를 내리는 바리스타 사장님이 되었다.

준호는 방금 로스팅한 하와이 코나와 에티오피아 예가체프 커피 두 잔이 담긴 쟁반을 남한강이 유유히 조망되는 야외 파라솔 벤치에 올려놓고 윤하를 불렀다. 윤하는 코나 커피가 담긴 머그잔을 들고 코발트빛 물감이 뚝뚝 떨어질 것만 같은 구름 한 점 없는 파란 가을하늘과 멀리 남한강의 푸른 물줄기를 따라 시선을 옮겨 보았다. 그리고 새하얀 상념 속으로 빠져들었다. 그러다가

"작년에 힘들게 직장을 그만두긴 했지만, 후회는 없어, 그로 인해

내 삶이 더 깊고 풍부해졌으니까"라고 혼잣말로 중얼거려 보았다.

윤하는 서울에서 태어났지만, 부친의 사업관계로 5세쯤부터 유년 시절의 5년 동안을 경북 상주라는 곳에서 자연과 함께 맘껏 뛰어놀았던 시골 생활을 한 적이 있다. 초등학생이 되어 다시 서울로 올라왔지만, 평생 시골생활에 대한 아련한 향수를 갖고 살았다. 자연의 순리대로 50대가 되어 비록, 일부분의 생활이긴 하지만 시골에서의 전원 생활을 시작하게 된 것이다.

처음에는 아무런 구속도 규칙도 없는 퇴직 후 백수로서의 전원생활이 하늘을 날아갈 듯 가볍고, 신기하고, 즐겁고, 행복했다. 딱 3개월까지는 그러했다.

만족을 모르는 것이 인간의 마음이라 했던가, 가끔 윤하는 "남들은 모두 다 직장에서 열심히 일하고 있을 시간에 나만 이렇게 살아도 되나" 하는 두려움이 급습하기도 했고 "나만 시골에서 뒤처지지 않나" 하는 허전한 마음이 올라오기도 했다. 그래도 역시나 인간은 적응의 동물인 것 같다. 윤하는 도시와 시골에서의 이중생활에 금방 적응해 나갔다.

보통 광교 아파트에서의 생활이 쇼핑하거나, 병원에 가거나, 서류를 발급받거나 필요한 볼일을 보는 시간이라면, 충주에서의 전원생활은 글을 쓰거나, 텃밭을 가꾸거나, 커피를 마시거나, 노동이 포함된 여가생활을 즐기면서 보낸다. 물론, 카페 운영은 윤하의 남편이 전담해서 하고 있어 윤하는 가끔 도와주는 정도이다. 전원생활 초기에는 어려움과 시행착오가 종종 있었지만 잘 극복해 나가는 중이다.

전원생활의 최대 장점은 자연의 시간과 함께 숨 쉬고 생활하는 힐링의 시간과 마음의 여유이고 최대의 단점은 거친 자연에 적응하는 것과 끊임없이 몸을 움직여야 하는 것, 외로움일 것이다. 다행히 광교 아파트에서 보관하던 결혼하기 전부터 모은 책들을 모두 집필실에 가져다 정리해 놓은지라, 책과 함께하니

아직은 외롭지 않다.

직장을 그만두고 글쓰기를 병행하면서 남들이 부러워하는 5도 2촌의 이중생활 한지 거의 1년이라는 시간이 흘렀지만, 아직도 자리가 덜 잡혀서 그런지 다소 정리되지 않은 혼란스러운 마음도 간직하고 있다.

5. 지금이 내 인생의 화양연화

내 삶은 때론 불행했고, 때론 행복했습니다

삶이 한낱 꿈에 불과 하다지만, 그럼에도 살아도 좋았습니다

새벽의 쨍한 차가운 공기

꽃이 피기 전 부는 달큰한 바람

해질 무렵 우러나는 노을의 냄새

어느 하루 눈부시지 않은 날이 없었습니다

지금 삶이 힘든 당신

이 세상에 태어난 이상, 당신은 이 모든 걸 매일 누릴 자격이 있습니

다

대단하지 않은 하루가 지나가고, 또 별거 아닌 하루가 온다 해도
인생은 살 가치가 있습니다.

후회만 가득한 과거와 불안하기 만 한 미래 때문에 지금을 망치지
마세요

오늘을 살아 가세요

눈이 부시게,

당신은 그럴 자격이 있습니다

-드라마, '눈이 부시게' 중에서-

일년중에서 가장 깊이 사색에 잠겨 보고 그나마 인생에 대해 깊은
통찰을 해보는 계절이 가을이다. 나이가 먹을 수록 점점 좋아지는 계
절 또한 가을이다

10월이다. 벌써 10월의 마지막 주 금요일이다.

10월에는 조금 규모가 있는 카페에서는 가을 이벤트로 중장년의 무
명 가수 혹은 유명 가수와 함께하는 라이브 콘서트가 많이 열린다.

윤하는 오늘 저녁에 라이브 카페를 운영하는 남편 지인의 초대로 충
주 호수 근처에 위치한 유명한 '화양연화' 라이브 카페에 가기로 했다.

라이브 카페는 그리 멀지 않은 곳에 있어서 자동차로 15분밖에 걸
리지 않았다. 카페에 거의 도착하자 다소 잔잔하면서도 경쾌한 재즈
피아노곡이 흐르고 있었다. 카페 문을 열자 다소 긴 머리를 뒤로 묶고
베레모를 쓴 중년의 남자분이 윤하 남편과 반가운 악수를 하고 포옹까

지 하더니 중간 정도 테이블 자리까지 안내해 주었다. 자리에 앉자, 잠시 뒤 카페 직원이 생맥주 2잔과 팝콘 안주를 가져다주었다.

카페 곳곳에 이미 많은 손님이 들어와 자리를 잡고 앉아 있었다. 무대와 가까운 맨 앞줄 자리에 앉은 중년여성들의 테이블 위에는 풍성하고 예쁜 꽃다발이 여러군데 놓여 있었다. 대다수 사람들의 옷차림이 단정한 세미 정장 차림이었고, 어떤 사람들은 옷을 신경을 써서 차려입은 느낌이 확 들었다. 진행자의 계절 멘트 및 카페 소개가 끝나고 가수들의 라이브 무대인사 그리고 공연이 시작되었다. 가을 분위기를 물씬 풍기는 촉촉한 노래들이 먼저 불렸다. 출연 가수는 통기타 가수들이 대부분이었다.

TV나 라디오에서 나오면 대강 흘려들었던 유명한 노래들을 라이브 현장에서 직접 들으니 더 집중이 잘 되고 생생함이 느껴졌다.

예상대로 맨 앞줄에 앉은 중년여성들은 오빠 부대 내지 팬클럽 회원 같았다.

부르는 노래마다 족족 따라 부르며 손뼉을 쳤다.

시원한 맥주를 마시면서, 자유로운 분위기에 취해 통기타 가수들의 익숙한 노래를 듣는 이 즐거움과 신남은 말로 다 표현할 수가 없다.

그동안 내면에 잠자고 있던 젊음과 열정이 확 깨어나는 것 같았다.

마지막 곡으로 어느 무명 가수가 이용의 '잊혀진 계절'을 불렀을 때는 모두가 가을 감성과 분위기에 한층 더 심취되었다.

윤하는 이렇게 혼자 중얼거렸다.

"지금, 이 순간이 내 인생의 화양연화야"

"나는 이제부터 내 마음이 이끄는 대로 살아갈 거야"

6. 에필로그

가을 끝자락에 겨울을 재촉하는 비가 바람을 동반해서 며칠이나 내렸다.

알록달록 예쁘게 물들었던 나뭇잎들은 대부분 떨어졌고 풍성한 나뭇잎을 자랑하던 나무들도 앙상한 가지만 드리운 채 서 있었다.

12월이 되자 온 세상 가득 하얀 눈이 내렸다. 그 앙상한 나뭇가지 위로 하얀 눈이 포근히 내려 앉았다,

눈이 내리자, 충주의 전원주택 마을은 한 폭의 동양화 그 자체가 되었다.

윤하는 전원주택 집필실의 따뜻한 벽난로 옆에서 창밖을 바라보며 글을 쓰다가 잠시 멈추고, 따뜻한 차를 한잔 마시며 여유롭게 눈 구경을 하고 있다

"인생은 때론 어두운 터널 같아서 한 치 앞이 안 보일 때도 있지만,
오직 자신을 믿고, 자신의 마음의 소리에 따라, 묵묵히 가다 보면
그 터널 끝에는 분명히 빛나는 세상이 기다리고 있을 것이다."

그래서 네가 쓰고 싶은 게 뭔데

율성휘

율성휘   제가 쓰고 싶은 글을 찾았습니다.

앞으로도 이런 글을 쓰고 싶습니다.

#마음을_울리는 #모두에게 #힘이_되는

blog: https://blog.naver.com/zzzz_sj2486

[프롤로그]

난생처음 손에 쥐어진 상장을 보며 얼떨떨한 기분에 다른 사람의 것을 본인에게 잘못 준 건 아닌지 불안한 마음을 달래기 위해 상장에 새겨진 이름을 계속 확인하며 내용을 쭉 훑어보는 아이의 얼굴은 낯선 감정과 희열감에 오묘하게 일그러져 있었다.

'불조심 글짓기 최우수상 5학년 3반 김수지'라는 내용을 물끄러미 보던 아이는 히죽 웃으며 고개를 끄덕였다. 요리 보고 조리 봐도 본인 이름이 확실했다. 내 상장 맞아, 내 거다 내 거. 라고, 작게 중얼거리며 그제야 안도감과 성취감, 그리고 뿌듯함을 가득 담아 씩 웃었다. 미소가 가득한 얼굴에 은은한 달빛이 내려앉자, 아이의 얼굴은 더욱 빛나 보였다.

학교에서는 적응하지 못하고 겉도는 아이, 집에서는 좀 잡을 수 없는 사춘기라는 녀석이 찾아와 질풍노도의 시기를 겪으며 온갖 사고를 치는 첫째 딸을 붙잡고 사느라 둘째의 존재를 잊은 엄마에게 애정을 갈구하던 아이는 이 상이 유독 특별했다.

담임선생님의 다정한 칭찬이, 자신을 향한 같은 반 친구들의 호기심이, 무엇보다 간절했던 엄마라는 대상에 사랑과 첫째에게 쏟고 있는 관심을 돌릴 수 있게 만들 이 상은 자신의 인생에 유일무이한 무기가 될 것이라 확신했다.

신이 인간을 만들 때 하나의 재능을 심어 준다는 말이 사실이었다며 속으로 신에게 감사함을 전하고는 자신에게 쏟아지는 부드러운 달빛을 보며 부디 엄마가 빨리 오기를 간절히 기도했다.

덜컹, 문이 열리는 소리와 함께 쓱쓱- 걸을 힘도 없어 발바닥으로 바닥을 밀며 걷는 엄마 특유의 발걸음 소리에 아이는 달과 별도 자는 이들을 위해 침묵을 지키는 새벽이라는 사실도 잊은 채 큰 목소리로 엄마를 불렀다.

항상 피로와 불만, 짜증이 가득한 표정을 지으며 집으로 돌아오는 엄마를 향해 난생처음 받은 상장을 아이는 내밀었다. 아이의 엄마는 집에 들어와 자매 둘이 잘살고 있는지 생존 여부를 확인한 후 일주일 치 생활비와 식비를 챙겨주고는 잠시 쉬었다가 다시 출근하는 고된 삶을 살아가고 있었다.

자야 할 시간이 한참 지났음에도 말똥거리는 눈으로 자신을 바라보는 둘째가 낯설었다. 3살 많은 첫째의 학교생활은 언제나 문제가 많았다. 학교생활에 적응하지 못해 밥 먹듯이 결석했고 거친 말투와 과격한 행동으로 주변 사람들을 지치고 힘들게 했다.

뒷수습은 언제나 그녀의 몫이었고 그런 상황에 지쳐 첫째 딸에 대한 불만과 짜증을 당사자에게 가감 없이 보여줬고 그건 첫째 딸도 마찬가지였다. 다른 이들보다 가족들에게 심하게 불만과 짜증을 표출했다.

아이는 그런 둘의 모습을 보면서 하고 싶은 말을 억지로 삼켰다. 학교에서 적응하지 못하고 있는 사람은 언니뿐만이 아니라고. 친한 친구 한 명도 없는 학교생활에 지쳤고 무척 외롭다는 그 말을.

손이 덜 가는 성격이라 생각했던 둘째 딸이 잠도 자지 않고 자신을 기다렸다. 난생처음 받은 상장을 보여주기 위해서. 그녀는 상장을 보자마자 구겨진 인상을 폈다. 그러고는 모든 이들이 잠든 그 야심한 시각에 동네 사람들이 들어주기를 바라는 마음을 담아 깔깔깔 소리를 내며 환하게 웃었다. 그리고 자신의 어린 둘째 딸을 안아주었다.

"우리 집에 작가가 탄생하려나 보다!"

아이는 엄마도 남들처럼 이렇게 환하게 웃을 수 있는 사람이라는 것을 처음 알았다. 그리고 조심스럽게 작가, 라는 단어를 중얼거리며 엄마가 했던 말을 곱씹었다. 작가라는 직업에 대해 하나도 모르는 주제에 그저 엄마를 웃게 해주고 선생님께 칭찬받을 수 있다면 그게 위험한 일이라고 해도 뭐든 좋았다. 그날부터 이 아이의 장래 희망은 '작가'가 되었다.

인생은 호사다마라고 했다.

운수 좋은 날이라는 책 속 구절에서. 그게 도대체 무슨 소리인가 싶었다. 저 사자성어가 주는 의미를 이해하고자 이게 뭔 뜻이냐고 선생님께 물어보려고 했지만 다들 알고 있는 듯 고개를 끄덕였다.

중요하다는 선생님의 말씀에 빨간 펜으로 별표 5개를 달아주고는 그걸로도 부족한지 〈호사다마〉라는 단어를 강조하기 위해 그 단어에 연신 동그라미를 그리고 있는 친구들 모습에 나만 모르는 건가 싶어 선뜻 질문할 용기가 나지 않았다.

그렇게 질문할 기회를 놓쳤다. 그래, 뭐 어쩌겠어. 시험 문제에 나온다니 외워야지. 그렇게 생각하며 수업에 집중하려고 노력했었다. 그런데 웃긴 건 정작 서술형 시험 문제에서 정답인 〈호사다마〉가 떠오르지 않아 '시어다골'이라는 의미가 비슷한 사자성어를 쓰고 정답처리가 되기를 기도했다는 것이다.

오답 풀이를 하는 날 선생님은 웃긴 오답을 쓴 사람이 이 반에 있다면서 수업 시간에 알려주지도 않은 '시어다골'이라는 유의어를 쓴 것이 독특하다며 말해주었다. 결론은 반짝이며 내 머릿속을 자리 잡았던 사자성어는 오답이고 5점짜리 문제를 틀리며 시험을 말아 먹었다는 것이다.

그 기억이 불현듯 났다. 점점 더 선명해지는 그 잔상은 내 앞에 놓인 현재 상황에 대해 집중하지 못하도록 계속 리플레이 되면서 끈질기게 방해하기 시작했다. 덕분에 교수님의 말씀을 제대로 듣지 못했다.

"백지를 연속으로 제출한 사람은 너밖에 없어."

교수님은 탄식했고 절망했다. 고등학생을 대상으로 한 극작가 육성 아카데미에 입단한 지 6개월 차였지만 열정이 가득했던 처음과 달리 나의 현재 실력은 바닥을 치고 있었다. 매주 토요일마다 제출해야 하는 짧은 단편 소설 분량을 채우지 못하는 것은 기본이고 글을 쓰다 지우기를 반복하다가 결국은 단 한 줄도 글을 쓰지 못할 정도로 점점 퇴화하고 있었다.

"그래서 네가 쓰고 싶은 게 뭔데? 이제 수업 6개월 남은 상황에서 처음부터 다시 시작하려면 힘들어."

교수님은 목소리에 힘을 실어 이야기를 이어 나갔다. 1시간짜리 단막극을 집필하는 것을 목표로 하고 있는 이 시점에서 늦어도 스토리에 뼈대는 만들어져 있어야 하는데 뼈대는커녕 집터를 세웠다는 흔적도 없었다. 1년 프로젝트 중 두 달은 이론 교육을 받는 기간이라고 치더라도 4개월이나 지난 현시점에서 결과물 없는 상황은 교수님한테도 나에게도 꽤 치명적이었다.

어떻게든 글을 쓰기 위해 12권이나 되는 소설을 필사도 해보고 새벽에 산을 타면 정신이 맑아지면서 아이디어가 샘솟는다는 존경하는 작가님의 말이 떠올라 떠지지도 않는 눈을 억지로 비비며 남산에 가서 산도 타봤다.

가장 열심히 노력한 것 중 하나는 바로 신들에게 간절한 마음을 담아 기도하고 또 기도한 일이었다. 그래도 나아지지 않자, 예수님, 부처님을 원망하다가도 신과 내가 국적이 다른데 바보같이 대한민국의 언어로 기도했으니 간절한 내 뜻을 이해 못 할 수도 있겠구나! 하는 생각이 들어 새벽 1시쯤 모두가 잠든 고요한 시간에 밥그릇에 물을 담아 손이 발이 되도록 빌어도 보았다.

혹시라도 내 간절한 소원을 이 물이 들어줄지 싶어 수돗물 말고 정수기에 나오는 정수 물을 담는 정성까지 보여주었다. 별빛이 내게 축복하듯 부드럽게 쏟아져 내렸던 그날처럼 영감과 창의력이 샘솟던 과거의 영광을 계속 누릴 수 있도록 해달라고 빌었다.

현재에서 과거로 시간을 역행하여 원시종교 체계인 애니미즘에 기대 소원을 비는 내 모습이 웃기고 처량했지만, 결과만 좋으면 장땡이었다. 아무튼 내가 생각해도 어이없을 정도로 별의별 짓을 다 해봤지만, 소용이 없었다.

교수님은 다음 주까지는 무조건 시놉시스라도 제대로 완성해 제출하라는 어명을 끝으로 나가보라며 손짓했다. 죽을죄를 지은 신하처럼 머리부터 발끝까지 송구한 마음을 담아 꾸벅 인사를 하고 밖으로 나왔다.

교수님과의 면담을 무려 한 시간이나 했다는 것을 깨달았다. 꽤 오랫동안 상담을 했다는 사실에 놀랐지만, 교수님도 나도 긴 시간 동안 상담한 결과 대비 수확물이 전혀 없다는 사실이 더 참담하고 비통했다.

상담실 바로 맞은편에 통유리로 되어 있는 교육실 안에 동기들이 열정적으로 수업을 듣고 있는 모습이 보였다. 다음 주까지 과제를 제출하지 못할 것만 같은 기분에 사로잡혀 얼굴빛이 창백해지는 나와 달리 동기들은 반짝거리며 빛나고 있었다.

적극적으로 모르는 부분이 있으면 손을 들고 질문하는 세연이의 모습이 오늘따라 더 밝게 빛나 보였다. 나는 2달 전부터 '백지 공포증'에 시달리고 있었다. 매너리즘에 빠져 허우적거리고 있는 사이 동기들은 뼈대를 잡고 살을 붙이기 시작했다.

그 시점부터 동기들과 나 사이에 벌어진 격차를 줄일 방법이 없었다. 문득 초등학생 때 운동회에서 신발 끈이 풀려 넘어졌던 그때가 떠올랐다. 가을 운동회에 꽃이자 고득점을 노릴 수 있는 이어달리기 항목에서 계주로 선발이 되었다. 반에서 겉돌고 있을 때라 담임선생님이 친구들과 친해질 수 있도록 나의 달리기 능력과 상관없이 억지로 시켰다.

엄청난 부담감에 초조하고 불안했지만 잘해보고 싶은 마음이 더 컸다. 계주로 선발된 친구들과 수업이 끝나고 운동장에 남아 바톤을 넘겨받는 연습을 하면서 친해지기 시작했고 자연스럽게 반 친구들과 어울리기 시작했다.

운동회 당일, 3번째 차례라 유독 긴장을 많이 하고 있었다. 순위가 떨어지지 않게 페이스를 유지하는 포지션을 맡았다. 때마침 우리 반이 1등을 하고 있었고 이 상태만 잘 유지하면 좋은 결과를 얻을 수 있었다. 떨리는 마음을 진정 시키며 친구에게 바톤을 넘겨받은 후 열심히 앞만 보고 뛰었다.

바톤을 꼬옥 쥐며 달리는데 갑자기 신발이 헐렁거리는 기분이 들었다. 밑을 내려다보니 신발 끈이 풀려 뛸 때마다 내 발목을 찰싹, 하고 치고 있었다. 나를 때리는 신발 끈, 달그락거리며 겉도는 신발. 잘못하다가 넘어질 것 같은 마음에 영 속도를 내기가 힘들었다.

앞만 보고 달려도 시원치 않은 판국에 온 신경이 발밑으로 집중되고 있었다. 점점 속도가 줄어들었고 곧 있으면 다른 반 친구들이 추월할 것만 같았다. 조금만 더 뛰면 4번째 계주에게 바톤을 줄 수 있으니 우선 속도부터 내보자, 라는 마음으로 한걸음 크게 뛴 순간 다른 발이 풀린 신발 끈을 밟았고 스텝이 꼬여 앞으로 고꾸라졌다.

그사이 나를 지나쳐 뛰어가는 친구들을 바라보며 서둘러 일어나 그 격차를 줄이기 위해 힘을 썼지만, 끈이 풀려 헐렁거리는 신발로 얼마나 잘 뛸 수 있을까. 결국 나 때문에 우리 반은 이어달리기에서 꼴등을 했다. 담임선생님과 친구들은 괜찮다고 했지만 넘어져 다친 무릎보다 뛰기 전에 신발 끈을 꽉 조였다면 이런 일이 없었을 텐데, 라는 후회로 무거워진 마음이 더 아팠다.

어릴 적 신발 끈이 풀려 넘어졌던 그때처럼 아무리 노력해도 수업을 따라갈 수 없었고 당연한 결과겠지만 자연스레 뒤처졌다. 글을 쓰는 것이 점점 더디게 되었고 어느덧 글 쓰는 감각이 사라져 버렸다.

나름 정성이 담긴 밥그릇(그것도 정수 물을 담은)을 보며 그렇게 간절히 기도했다. 이 멍청하고 간절한 짓을 하는 게 부디 마지막이기를 바랍니다, 하면서. 하다못해 그게 불가능한 일이라면 내 영혼이 견딜 수 없는 그 순간만큼은 오지 않게 해달라며 간절하고 처절하게 빌었다.

역시 현대 시대와 너무 동떨어진 다른 종교에 힘을 빌려 기도한 것이 화근이 된 모양이다. 과제도 제대로 소화하지 못하는 열등생은 우등생인 동기들이 있는 교육실에 들어가 같이 수업을 받을 수 없었다.

교수님이 고도의 집중력을 높일 수 있는 특단에 조치를 취했다며 오직 나만을 위한 1인실을 마련해 주셨다. 책상 위에 노트북과 키보드,

마우스가 냉소적인 표정을 지으며 나를 빤히 쳐다보는 듯 한 기분에 머리부터 발끝까지 피가 거꾸로 솟는 기분이 들었다.

어지러웠고 숨쉬기가 힘들어졌다. 교수님은 나를 위한 것으로 생각하며 자리를 만들어 주셨겠지만 안타깝게도 내가 가장 몸서리치며 끔찍하게 생각하는 최악의 상황이었다. 어젯밤 간절한 마음을 밥그릇에 담아 빌고 빌었다. 백지와 나 단둘이 남겨두지 말라고. 아무것도 할 수 없는 무기력한 침묵 속에 나를 버리고 가지 말라고.

1인실에 타닥거리는 키보드 소리가 끊임없이 들리기를 바랐던 교수님은 아무것도 하지 못하는 나의 뭉그적거리는 태도에 한 번 더 절망하셨다. 다음에는 더 좋은 결과를 가져올 거라고 확신한다는 말과 함께 사라진 교수님을 보며 과연 다음이 나에게 있을까 하는 생각에 입이 바싹 마르기 시작했다.

글을 쓴다는 것이 무엇인가에 대한 최초의 본질에 대해 곱씹으며 글을 쓰다 지우기를 반복했다. 나에게 이런 상황이 있기 전까지는 글 쓰는 행위는 숨 쉬는 것과 똑같았다. 너무 쉬웠다.

딱히 어렵다는 생각이 들지 않았다. 남들은 어렵고 쓰기 싫다고 하는데 왜 그렇게 싫은지 도무지 이해되지 않았다. 주제가 정해진 틀 안에서 글을 쓰는 것만큼 쉬운 일이 없다고 생각했다. 사람들의 니즈와 원트가 확실한 그곳은 내가 갖고 있는 단어들을 조합해 살을 붙이면 어느덧 글 하나가 뚝딱하고 완성되어 있었다.

학생들을 대상으로 하는 공모전은 주제가 뚜렷했다. 그 주제를 토대로 생각할 시간도 넉넉히 주기 때문에 어렵지 않게 글을 써 내려갔다. 돌이켜 생각해 보니 주제가 당일에 정해지는 공모전에서만 낙방했었던 것 같았다.

그제야 나는 남이 정해준 주제와 틀 위에 몇 글자 끄적거리며 살을 덧붙이는 행위가 글을 창조하는 예술 행위라 믿고 살고 있었구나 하며 깨달음과 탄식이 섞인 단말마의 비명을 질렀다.

그렇다면 진정한 예술이 무엇인지 알겠느냐, 라는 질문에 대해서는 '이제 알 것도 같다'라고 대답할 수가 있었다. 지금 내 앞에 있는 동기들의 모습을 보면 그들은 숭고한 정신을 바탕으로 올곧은 예술을 하는 진정한 작가로서의 모습을 하고 있었다.

눈에 보이지 않는 열정을 글로 승화하여 하나의 예술로 만들고야 말겠다는 동기들의 의지는 밖에서 그들을 지켜보는 나에게도 전해질 만큼 강렬하고 뚜렷했다. 그들의 모습이 선명하게 두 눈에 박힐수록 내가 믿었던 예술 행위에 대한 정의는 더욱 초라해졌고 불안감은 배로 커졌다.

"합격해서 너무 좋아요. 열심히 하겠습니다!"

감격스러운 감정을 여실히 드러내며 구김 없이 환하게 웃는 입과 기쁨에 상기된 빨간 볼. 마치 사랑에 빠진 소녀 같은 모습을 한 세연이를 유심히 쳐다봤다.

치열한 경쟁률을 뚫고 극작가 아카데미 시험에 합격한 5명이 순서대로 인터뷰하고 있었다. 나는 마지막 순번이라서 조금 멀리 떨어진 곳에 앉아 그들이 이야기를 나누는 모습을 지켜보고 있었다.

그들과 멀리 떨어진 곳에 있어 내용은 잘 들리지 않았지만 세연이와 인터뷰를 하는 교수님의 하하 호호, 밝고 경쾌한 웃음소리는 또렷하게 들렸다. 대화를 나누고 있는 사람들 주변으로 따뜻한 기운이 감도는 착각이 들 정도로 분위기는 매우 좋아 보였다. 그다음 순번이 하필 나라니, 초조한 마음에 차가워지는 손을 열심히 주무르며 긴장을 풀기 시작했다.

18살 동갑인 세연이는 서글서글한 성격으로 낯가림이 심해 먼발치에 서서 눈치를 보는 나에게 먼저 말을 걸어준 친구였다. 아카데미 입학은 1차는 중간고사, 기말고사처럼 시험 범위를 나눠주고 외워서 풀 수 있는 시험을 보고 2차는 정해진 주제를 갖고 글을 쓰는 실기시험 봤다. 1, 2차를 모두 통과한 후 3차 관리자 면접까지 통과해야 입학할 수가 있었는데 그녀는 1, 2차에 아슬아슬한 성적을 받은 덕분에 합격을 기대하지 않았다고 말했다.

포기했던 아카데미에서 마지막으로 합격했다는 소식을 듣자마자 주변에서 다들 운이 좋았다고 말할 정도였다고. 성적이 좋지 않은데 이런 자신이 아카데미 수업을 잘 해낼 수 있을지 걱정스러워 실은 잠도 제대로 못 자고 있다고 하소연했었다.

현재 인터뷰를 하는 모습을 봐서는 딱히 그런 걱정스러운 감정을 마음에 담고 있어 보이는 사람처럼 보이지 않았다. 인터뷰하는 내내 반짝반짝 빛을 내며 환하게 웃고 있었고 진심으로 그녀와 이야기를 나누고 있는 사람들도 즐거워 보였다.

"나 먼저 갈게!"

세연이는 밝고 경쾌한 모습으로 대기석에서 긴장으로 창백해진 얼굴을 하는 나에게 '너무 긴장하지 마~ 재밌을 거야!'라는 말을 덧붙이며 인사를 하고 사라졌다. 내 차례가 오지 않기를 그토록 바라고 기도했지만 결국 오고야 말았다. 그녀의 조언과 응원은 안타깝게도 도움이 되지 않았다. 한껏 긴장한 얼굴로 어색하게 교수님에게 인사한 후 자리에 앉았다.

"단막극에 대한 대본을 쓸 예정인데 혹 쓰고 싶은 이야기가 있을까요?"

"아……"

첫 질문부터 대답이 막혔다. 아무 생각도 없었다. 그저 담임선생님이 장학금도 주고 교육비 전액 무료에다가 대학교 갈 때 이런 경험을 했다는 내용을 이력서 쓰면 도움이 된다는 말을 듣고 시험을 봤을 뿐 딱히 이런 주제를 갖고 글을 써야지, 하는 생각을 애초에 해본 적이 없었다.

어버버하며 말 못 하는 모습을 보고 당황스러워하는 것은 교수님도 마찬가지였다. 교수님은 긴장을 많이 한 탓에 대답 못 했다고 생각하는 모양이었다. 다정하게 나를 보며 웃어준 후 긴장을 풀기 위해 무던히 애를 쓰고 계셨다.

"괜찮아요. 수업하면서 그 주제는 찾아가면 되니까요. 그다음 질문할게요."

그 뒤로도 수많은 질문이 오고 갔지만 기억에 남는 것은 하나도 없었다. 기분이 묘했다. 무언가에 의해 머릿속이 뒤틀린 기분인데 그게

무엇 때문인지 이런 기분을 왜 느끼고 있는지 말로도 글로도 설명하기
가 어려웠다.

교수님은 인터뷰가 끝났으니, 교육실로 돌아가서 잠시 기다리고 있
으면 된다는 말을 끝으로 질문에 대답을 제대로 못 한 학생을 돌려보
냈다.

여학생 특유의 까르르거리는 웃음소리가 밖에서도 들릴 정도로 분
위기는 화기애애했다. 나는 오히려 이런 분위기가 낯설었다. 말수가
적고 낯가림이 심한 탓에 언제나 내 주변은 고요했고 정적이었다. 나
와 반대되는 어색한 것들을 싫어했다. 마치 햇살을 머금은 듯 밝고 활
기찬 이 상황 같은 것들을 말이다.

이런 분위기에 익숙해져야만 한다며 마음을 다잡고 서둘러 교육실
안으로 들어갔다. 동기들은 세연이를 중심으로 사람들이 인터뷰 때 받
았던 질문에 대해 공유하고 있었다. 그녀는 내 얼굴을 보자마자 기다
렸다는 듯 질문을 했다.

"수지야 어서 와 우리 인터뷰하면서 받은 질문들 뭔지 공유하고 있
었어! 너도 쓰고 싶은 이야기 있냐고 교수님이 물어봤지?"

"아… 응응. 물어봤어."

"나는 청소년 자살, 우울증에 관한 내용으로 작품을 쓰고 싶다고 했
는데 교수님이 되게 놀라시더라."

교수님이 놀란 반응을 보인 것과 마찬가지로 나 또한 똑같은 반응
을 보였다. 아니 어쩌면 교수님보다 격한 반응을 보여줬을지도 모르겠
다. 그녀의 성격과 달리 자극적이라면 자극적이고, 강렬하다면 강렬

한 소재로 글을 쓰고 싶다고 말했다니 상상이 가지 않았다.

　해맑고 쾌활한 그녀에 입에서 '자살', '우울증'이라는 단어는 마치 어린아이가 술, 담배를 말하는 것과 같았다. 그녀와 전혀 어울리지 않는 주제였다.

　"아카데미 합격했다는 소식 듣자마자 쓰고 싶은 주제 생각해 뒀거든. 제목도 정해놨어. '옥상으로 모이세요'인데 남자 주인공이 죽고 싶어서 옥상에 올라갔는데 나와 같은 생각을 하는 여자 주인공이 있는 거야. 그러면서 왜 자살하러 온 건지 서로 이야기를 하고 들어주면서 시작되는 그런 스토리인데 어때? 다들 생각해 봤어?"

　그녀가 던진 화두에 기다렸다는 듯이 동기들은 자신이 쓰고 싶은 주제를 서슴없이 말하기 시작했다. 영화 사랑과 영혼 같은 느낌의 글이라던가 SF 판타지 주제로 쓰는 삶의 소중함을 담은 이야기, 넓게는 독거노인에 대한 사회 비판을 담은 내용까지 다채롭고 다양했다.

　자신이 쓰고 싶은 주제를 설명하는 동기들의 얼굴은 즐거움과 행복으로 반짝반짝 빛이 났다. 그들 사이에 있는 내 얼굴은 점점 어두워졌다. 수많은 이야기가 나왔지만, 그 이야기 사이에 끼지 못했다.

　"수지야 너는 쓰고 싶은 거 없어?"

　세연이의 질문에 대답도 못 하고 고개를 끄덕였다. 5명 중에 유일하게 이 부분에 관한 질문에 대답을 못 한 사람이 나라는 사실을 그들은 알았지만 딱히 대수롭지 않게 생각하는 듯 보였다. 그런데 아무리 생각해도 쓰고 싶은 게 무엇인지 좋은 주제 무엇인지 전혀 떠오르지 않았다.

나름 글을 잘 쓴다는 프라이드가 있었는데 초반부터 이렇게 뒤처진다는 것이 낯설었다. 나 스스로 이 아이들처럼 관심 있는 내용을 창작으로 글을 쓰고 싶다는 생각을 단 한 번도 해본 적이 없다는 생각이 들자 왜 여태껏 뒤틀리고 꼬여 있는 기분이 들었는지 알 것만 같았다.

동기들 사이에서 아무런 말도 하지 못하고 멀뚱히 서 있었다. 교수님이 제발 빨리 와주시기를 바라던 그 순간 기적처럼 교수님이 교육실 문을 열고 들어왔다. 내 기준으로 봤을 때 그다지 소득이 없는 동기들과의 대화가 끝이 났다.

교수님은 1년 동안 진행되는 이 프로젝트는 한 달에 4번 매주 토요일마다 진행되며 극본이 무엇인가부터 캐릭터 구성 등 여러 가지 이론 수업이 끝나고 본격적으로 1시간짜리 단막극 대본을 작성할 예정인데 본인이 생각하고 있는 주제로 대본을 쓸 수 있도록 최대한 도와주겠다고 이야기하셨다.

그 말을 끝으로 첫 수업이 시작되었지만, 나는 첫날부터 집중할 수가 없었다. 내가 쓰고 싶은 단막극에 대한 주제는 천천히 찾으면 된다는 마음 뒤로 그래서 내가 쓰고 싶은 주제가 있긴 한가에 대한 불안감을 떨칠 수가 없었기 때문이었다.

이런 불안한 마음이 계속 들었지만, 그런 마음과 달리 나름대로 수업 시작 후 2달 동안은 잘 적응했다. 아니, 실은 다른 동기들보다 조금 운이 좋은 흐름으로 첫 스타트를 찍었다. 이론 수업이 있는 2달 동안 시험이 필수로 있었는데 가벼운 쪽지 시험부터 개인 평가에 반영되는 중요한 시험까지 거의 매주 크고 작은 시험을 봤다.

이론을 배우며 공부하고 시험을 보는 패턴은 내가 가장 자신 있어 하는 부분이었다. 딱히 창조력이 있어야 하는 수업이 아니었으므로 그저 최선을 다해 시험 범위를 외우고 문제를 풀면 끝이었다. 다행히 암기 분야에 최적화되어 있는 나의 뇌는 2달 동안 이론 수업 쪽으로는 동기들보다 평균 이상의 점수를 받으며 안정적인 수준을 보여주었다.

수업 내용 중 과제를 대부분 PPT로 제출하는 경우가 많았는데 그 부분에 대해서 굉장히 운이 좋았다. 인문계를 다니는 동기들과 달리 상업계 출신인 나는 이미 파워포인트 프로그램을 능숙하게 다룰 줄 알았고 담당 과목 선생님에게 미흡한 부분을 코칭 받을 수 있었기에 프레젠테이션을 만드는 시간이 그들에 비해 상대적으로 짧았다. 그 덕분에 공부하는 시간을 확보할 수 있었고 결과도 만족스러웠다.

문제는 그다음부터였다. 이론 수업이 끝나고 본격적으로 실습에 들어가면서 자신의 시놉시스에 살을 붙이며 하나씩 세계관, 그 안에 사는 캐릭터를 창조하는 작업을 하는 동기들 사이로 나는 허둥지둥하고 있었다. 무엇이 문제인가에 대해 깊이 고민하고 싶었지만 매주 결과를 보여줘야 하는 과제들을 해결하기 급급했다.

이전과 다르게 시간은 늘 촉박했고 어느 하나의 주제에 정착하지 못했다. 당연히 쓰고 싶은 내용이 없으니, 주제를 바꾸기 일쑤였다. 동기들이 그럴싸한 주제를 이야기하거나 가지고 오면 그 주제에 대한 비슷한 이야기를 가져와 시놉시스를 적어서 제출했다. 그중에서 하나라도 콕 집어서 글을 쓰면 그만인데 이상하게도 그 어떤 것도 내 마음에 들지 않았다. 차라리 교수님이 주제를 정해줬으면 하는 마음마저 들었다.

"수지야 혹시 내가 쓴 거 봐줄 수 있어?"

수업이 끝나고 15분 정도에 쉬는 시간이 주어졌다. 남들이 괜찮다고 말한 주제를 대충 곁눈질해 쓴 글들을 통명스럽게 보고 있는 모습을 보며 세연이는 어색한 웃음 지었다. 그녀는 똥 씹는 표정으로 모니터를 보고 있는 내 눈치를 살살 보면서 조심스럽게 물어보려고 안간힘을 쓰고 있었다.

그녀는 항상 본인이 쓴 글에 대해 자신이 없다고 주눅이 든 모습을 보이곤 했다. 의기소침해 있는 모습을 못 본 채 할 수가 없어서 알겠다고 대답했고 천천히 쓴 글을 읽기 시작했다.

"이거 정말 네가 쓴 거야?"

나는 놀란 표정으로 물었다. 세연이는 쑥스러운 표정으로 고개를 끄덕였다.

"응응. 어때?"

탄탄한 구성과 묵직하지만, 절대 쳐지지 않는 분위기. 완벽하게 단막극에 어울리는 대본이었다. 주제조차 정하지 못한 나와는 달리 그녀는 본인의 소신대로 하나의 극을 완성하고 있었다.

"아… 재밌어! 완전 잘 쓴 것 같은데?"

내가 느낀 이 감정을 모두 표현하고 싶었지만, 그런 마음과 달리 짧게 감상평을 내뱉었다. 그 말을 들은 세연이의 얼굴은 안도의 한숨을 쉬며 히히, 하고 소리 내 웃었다.

"다행이다. 나는 뭔가 스토리 흐름이 억지스러운 느낌이 들었거든."

"아냐. 나는 오히려 자연스러워서 읽는데 억지스럽다는 생각 못 했는데?"

세연이는 고개를 끄덕이며 '읽어줘서 고마워'라고 답한 후 자기 자리로 돌아갔다. 아직 시작은커녕 매번 바뀌는 주제와 세계관, 그 안에 있는 캐릭터 대상도 있었다가 없어지는 등 격렬하게 바뀌는 모습에 적응하지 못하고 있었다.

내가 쓴 시놉시스의 세상은 혼돈의 카오스였고 그 카오스를 적나라하게 겪으며 고통받는 것은 극 중 인물들이었다. 그들은 마치 나에게 '살려주세요!'라고 소리치는 듯 보였다. 이런 불완전한 세계와 인물들의 모습이 여실히 드러나는 나와 달리 차곡차곡 탄탄한 스토리가 쌓여 멋진 세계관에 완벽히 적응한 인물들이 자기 능력을 보이는 모습이 너무 부러웠다. 그런 탄탄한 배경을 바탕으로 적극적으로 활동하고 단단해져 가는 그녀의 작품과 나의 작품이 대조되니 가슴이 쿵쾅거리다 못해 터질 것만 같았다.

나는 정말 극작가가 되고 싶은 마음이 있긴 할까. 문득 이런 생각이 들자마자 탄식하며 절망했다. 아카데미에 입단하기 전에 가장 처음부터 해야 했던 생각을 이제 시작하고 있는 나 자신이 너무 한심했다. 가장 근본이어야 했던 이 질문을 왜 이제 하게 되었을까. 아카데미에서 주는 조건이 너무 좋아 그런 부분도 생각하지 못했던 걸까, 아니면 처음부터 그저 남들보다 조금 글을 잘 쓴다는 프레임에 갇혀 우쭐거렸던 것은 아니었을까.

근본적인 문제에 직면하고 그것에 대한 해답을 얻을 수 없는 시간이 길어질수록 글을 쓸 수가 없었다. 조금이나마 남아 있었던 의욕은 증발해 사라졌고 나름 힘들더라도 웃는 모습만큼은 유지하자는 내 신념 또한 사라졌다. 미소를 잃은 얼굴은 불만과 짜증이 가득했고 불안과 초조로 성격 또한 급해졌다.

마음의 여유가 없어졌으니 당연히 학교생활도 엉망이 되었다. 아카데미에서 준 과제뿐만 아니라 학교에서도 주어진 수행평가나 시험 일정에 허덕이고 있었기에 3시간만 자고 나머지 시간에는 주어진 일에 매진했지만, 성과는 그다지 좋지 못했다.

나름 노력했는데 보답받지 못하는 결과를 보며 짜증이 많아졌고 나밖에 보이지 않으니 주변 친구들을 생각할 겨를이 없었다. 이런 나를 이해해달라는 이기적인 태도와 말투에 상처받는 사람들이 점점 늘어나기 시작했다.

이기적인 행동에 상처받는 사람 리스트 중 당연히 가족도 포함이었다. 온순하고 착한 성격인 둘째가 한때 첫째가 겪었던 사춘기보다 더 심하게 행동하는 모습에 가장 당황스러운 사람은 엄마였다.

학교에서 무슨 일이 있었는지, 어제는 누구랑 만났고 뭘 먹었는지 등등 항상 엄마와 언니에게 일상을 공유하며 그날 있었던 상황에 관해 이야기를 나눴다. 과묵한 엄마와 언니는 조잘거리며 조용한 집에 사람의 목소리로 온기를 채워주는 동생이 기특하기도 하고 이런 일상을 공유받는 것이 꽤 마음에 들어서 가족들끼리 소소하게 대화를 나누는 시간을 소중히 생각하는 것을 알고 있었다.

소중하게 생각하는 것을 알면서도 어쩔 수 없이 그 일을 제일 먼저 끊었다. 한동안 집안에서는 TV 소리를 제외하고는 가족들의 목소리가 들릴 일이 없었다. 그들이 소중하게 생각하는 순간임을 알면서도 하고 싶지 않았다.

마음의 문이 점점 좁아져 나라는 사람도 그 안에 들어가기 힘들 정도로 폐쇄적으로 바뀐 탓에 일상을 생각조차 할 수가 없었다. 그저 앞에 놓인 일을 해결할 생각만 급급했다.

집에 도착하자마자 방 안으로 들어가 컴퓨터 앞에 앉아 써지지도 않는 글을 억지로 붙잡고 있었다. 써지지 않는 글을 두고 남은 6개월을 대충 어영부영 버티면 괜찮지 않을까? 라는 생각이 들다가도 그럴 가치가 있는 일인가에 대한 생각에 쉬이 잠이 오지 않았다.

그저 좁아진 마음의 문 안으로 들어가기 위해 안간힘을 쓰고 있었고 가족들이 지금 어떤 상황인지 친구들은 어떤지 주변을 둘러볼 여유 따위 없었다.

그렇게 나름 고군분투하며 싸워봤지만, 결과는 똑같았다. 마음의 문은 안에서만 열 수 있도록 자물쇠로 걸어 잠가 버렸고 내가 나를 거부하는 사태까지 왔다는 생각에 정신이 아찔해졌다. 절벽 끝에 서서 추락할 일만 남았다는 절망감을 떨칠 수가 없었다. 다시 되돌리기 위해 노력하려고 주변을 살펴봤지만, 나를 향한 불편한 시선만 있을 뿐이었다.

이런 상황을 만든 것은 나 때문이라는 사실을 이미 깨달았지만 그걸 바로 잡을 시간도 없이 어느덧 과제 제출 마감을 해야 하는 금요일이 찾아왔다. 일주일에 한 번 참석해야 하는 수업이 가기 싫어졌다. 가면 동기들과 현재 나의 모습을 비교당할 것이 뻔했다. 무엇보다 교수님이 내준 과제에 손도 대지 않았다. 솔직히 글이 써지지 않으니 당연히 할 수가 없었다.

하기 싫다는 마음이 걷잡을 수 없이 커져 어느덧 정신을 차리고 보니 담당 교수님에게 이런저런 핑계를 대며 이번 주 수업은 불참한다는 문자를 보낸 뒤였다. 땡땡이를 한번 쳤으니 두 번은 못 할까. 그다음 주 수업도 학교에서 진행하는 수행평가 핑계를 대며 빠졌다.

"수지야 아카데미에 결석했다는 이야기 들었는데 이게 무슨 일이니?"

다른 동기들에 비해 저조한 출결과 엉망인 과제를 보며 참다못한 교수님이 담임선생님에게 전화했다. 그 소식을 들은 담임선생님은 나를 교무실로 불렀고 황당하고 당황스러운 이 상황에 관해 설명해 달라 이야기했지만, 무슨 말을 먼저 꺼내야 이 상황을 모면할 수 있을까 하며 머리를 굴리고 있을 뿐이었다.

"죄송합니다."

이런저런 이야기를 다 꺼내고 싶었지만 결국 입 밖으로 나온 것은 이 한마디뿐이었다. 선생님은 이번 사건을 그냥 넘어갈 생각이 없으신 듯 보였다.

"결석한 이유가 있을 거 아냐. 교수님 말씀으로는 학교 수행평가 때문이라고 했는데 선생님이 수행평가 없는 거 확인했어. 요즘 무슨 일 있니?"

"아니에요. 그냥…… 쉬고 싶었어요. 죄송합니다."

계속 추궁해도 본질적인 문제가 내 입으로 나오지 않을 것을 눈치챈 선생님은 알겠다며 고개를 끄덕였다.

"교수님이 수업 참석은 못해도 내준 과제는 메일로 보내라고 하시더라. 이번에 동기들이 쓴 시놉시스랑 네가 쓴 거 비교해서 어떤 작품을 단막극으로 올릴 건지 고민해 보신대."

"아…… 네 알겠습니다."

야자(야간자율학습)는 오늘 안 해도 된다며 학교 일정을 친히 빼주신 선생님의 분에 넘치는 배려에 감사하는 척하며 고개를 숙여 인사했다. 겸연쩍은 내 행동에 대해 무언가 말하려다가 선생님은 그저 힘내라는 말만 하셨다.

그 말을 끝으로 교무실 밖으로 나와 길게 한숨을 내쉬었다. 한 줄도 못 쓴 시놉시스를 무슨 수로 오늘까지 제출해? 머리가 복잡했다. 이제는 뭐가 되었든 주제를 정해야만 했다.

'물속에서 살 수 없는 물고기는 어떤 느낌일까?'

문득 세연이가 말했던 이야기가 떠올랐다. 단막극 주제에 대한 아이디어를 찾기 위해 2인 1조로 팀을 만들어서 마인드맵을 하는 실기 수업이 있었는데 스치듯 그녀가 말했던 아이디어가 떠올랐다. 그러자 이상하게도 컴퓨터 앞에 앉아 타자를 치고 싶은 생각에 사로잡혔다.

야자를 빼준 것을 부러워하는 친구들의 시선을 뒤로하고 집으로 돌아와 씻지도 않고 교복을 입은 모습 그대로 교수님이 내준 과제를 하기 위해 컴퓨터 앞에 앉았다. 기계적으로 전원 버튼을 누르려고 하는 손을 잠시 거두며 켜지지 않은 모니터를 멍하니 바라봤다. 지금 쓰려고 하는 주제는 세연이가 스치듯 말했던 이야기였다. 결론은 내가 스스로 낸 아이디어가 아니었다.

한참을 망설였다. 주제를 찾아보려 안간힘을 써봤지만 백지 공포증에 걸린 사람처럼 생각할수록 내 머릿속은 하얗게 변해갈 뿐이었다. 결국 과제를 제출하지 못할 것만 같아 다급한 마음에 세연이에게 전화했다.

「여보세요!」

"아 세연아…… 나 부탁이 있는데 지금 통화 괜찮아?"

밝고 쾌활한 목소리가 들려오자 잔뜩 긴장되는 마음에 목소리가 떨렸다.

「응응. 무슨 일이야? 요즘 수업도 안 나오고 다들 걱정하고 있어!」

진심으로 걱정이 되는 목소리에 차마 말이 나오지 않았다. 네가 말한 아이디어 하나를 내가 응용해서 시놉시스로 쓰고 싶은데 괜찮냐는 그 말이. 그러나 오늘까지 과제를 제출하지 못한다면 담임선생님한테도 교수님한테도 실망을 안겨 드려야 했다. 그것만큼은 피하고 싶었다.

나는 두 눈을 질끈 감고 힘겹게 입을 열었다.

"어…… 내가 요즘 많이 아팠거든. 지금은 괜찮아. 실은 저번에 시놉 주제로 마인드맵 했을 때 '물속에서 살 수 없는 물고기'라고 네가 말했던 주제에 대해서 곰곰이 생각해 봤는데 마음에 들어서 내가 쓰고 싶은데 괜찮을까 해서."

거의 죽어가는 목소리로 이야기했던 것과 달리 세연이의 반응은 긍정적이었다.

「물론이지! 근데 내가 그런 이야기를 했던가…?」

잘 기억 안 나네. 라고 중얼거리는 목소리에 가슴에서 무언가 뚝, 하고 끊어지는 느낌이 들었다.

「나는 상관없으니까 맘껏 써도 됩니다. 동기님!」

"진짜 고마워. 내가 맛있는 거 살게."

별말씀을. 이라는 말을 마지막으로 통화가 끝났다. 그녀라면 분명 아무렇지 않게 괜찮다고 말할 줄 알았다. 그런데 왜 이런 기분이 드는 걸까. 문득 작가란 무엇인가, 라는 주제로 수업했던 이론 첫날에 강의 내용을 곱씹었다.

어학사전에 명시된 작가라는 사전적 의미 말고 나 스스로 정의하는 작가라는 직업이 무엇인지 생각해 봐야 한다는 교수님의 말씀을 떠올리며 두 눈을 감고 숨을 천천히 들이마시고 내쉬기를 반복했다.

감았던 눈을 천천히 뜨며 생기를 잃은 모니터를 바라봤다. 내가 생각한 작가라는 직업에 대한 정의는 저 모니터와 다를 바가 없다는 것이었다. 아무리 생각하고 고민해 봤지만, 애석하게도 내린 결론이었다.

인풋이 없으면 아웃풋이 나오지 않는, 전원 버튼을 누르지 않으면 아무것도 보여주지 못하는 모니터와 같았다. 동기들은 수업을 듣는 그 수많은 시간 동안 내가 하고 쓰고 싶은 글을 찾는 일을 어떤 수업보다 열심히 했다. 이론이 부족하더라도 글 쓰는 스킬이 부족하더라도 그런 자신의 부족함을 전혀 개의치 않았다.

나는 그들과 반대로 이론에 집착했고 형식과 틀을 고집했다. 그게 그들과 벌어진 차이였다. 내가 품었던 작가란 장래 희망에 대해 처음부터 잘못된 사실을 받아들여야 했다. 쉽게 생각했고 쉽게 가려고 했다. 그저 글을 좀 끄적거릴 줄 안다는 오만한 생각이 이런 대참사를 만들었다.

나는 손을 뻗어 컴퓨터 모니터 전원 버튼을 눌렀다. 그리고 시놉시스 대신 교수님에게 메일 하나를 보냈다.

"수지야, 도대체 뭐가 문제니? 수업이 어려워? 못 따라가겠어?"

담임선생님의 잔소리가 유독 크게 들렸다. 목소리가 작은 게 콤플렉스라 마이크를 차고 수업을 한다고 말했던 담임선생님의 목소리가 마이크를 차고 말씀하셨을 때보다 점점 커지는 것이 낯설어서 그런 것 같기도 했다.

나는 대답 대신 고개를 끄덕였다. 처음부터 수업을 1도 따라가지 못했던 것은 아니다. 그니까… 솔직히 말하면 99는 못 따라갔다. 그 사실을 있는 그대로 말하기엔 민망하고 부끄러워서 그냥 고개를 연신 끄덕일 뿐이었다.

"교수님한테 전화 왔어. 토요일에 말도 없이 수업 빠진 것도 문젠데 수업 중도 포기하겠다는 메일을 보냈다고. 잘 따라온 학생인데 갑작스러워서 당황스럽다고 하시더라. 수지야, 6개월 남은 상황인데 아깝지 않아?"

"네."

연신 고개만 끄덕이다가 이번 질문에는 힘을 주어 대답한 모습에 선생님은 회유하는 것을 멈추셨다. 내가 느낀 한계와 슬럼프를 구구절절 설명할 힘도 없었다. 무엇보다 과제를 해결하기 위해 남의 아이디어를 탐냈다는 모습만큼은 보여주고 싶지 않았다.

"교수님한테는 내가 말씀드릴게."

그만 가봐, 라는 선생님의 말씀을 끝으로 교무실 밖으로 나왔다. 토요일에 교수님한테 오는 전화도 세연이에게 온 문자도 모두 씹었다. 아깝지 않다면 거짓말이겠지만 그렇다고 남은 6개월을 견딜 자신이 없었다.

월요일 수업을 어떻게 보냈는지 잘 기억나지 않았다. 정신 차리고 보니 수업이 모두 끝났고 담임선생님은 아카데미 중도 포기 관련하여 2차 면담을 하기 위해 이번에는 상담실로 나를 불렀다.

"교수님도 알겠다고 하셨는데 중도 포기 관련해서 작성해야 할 서류가 있다고 토요일에 센터에 방문해야 한다고 하시더라. 선생님도 같이 갈 거야."

"네……."

"그동안 고생 많았어. 가봐."

담임선생님의 2차 잔소리 폭격을 예상했으나 담백하게 끝난 상황에 어리둥절하긴 했지만, 이 사건에 대해 더 이상 생각을 깊이 하고 싶지 않은 마음이 더 컸다. 나는 상담실 밖으로 나와 내가 해결해야 할 일을 해야 했다.

『세연아 나 아카데미 그만두기로 했어.』

이 문구를 쓰고 지우기를 얼마나 반복했는지 모른다. 이 글을 쓰면서 오만가지 생각을 다 했다. 당사자가 괜찮다고 했잖아, 그냥 철판 깔고 시놉시스를 써서 제출이라도 해볼걸, 이라는 생각이 가장 많이 들었던 것 같다.

그래도 결론은 하나였다. 글을 쓰는 사람은 나고 남에게 얻은 소스로 얼마나 잘 쓰고 버틸 수 있었을까. 그리고 무엇보다 이번 기회를 통해 자기 객관화가 확실해졌다. 나는 작가라는 직업에 대해 쉬이 생각했고 그 오만한 판단에 벌을 받은 것으로 생각하기로 했다.

그렇게 어렵게 쓴 문장을 한참을 바라보다가 전송 버튼을 꾹 누르며 핸드폰을 주머니에 집어넣었다. 분명 그만두겠다고 말한 것은 나인데 후련하지 않고 마음이 아프기만 할까.

월요일에 담임선생님과 교육 포기 면담을 하고 마음의 치유를 좀 해볼지 했으나 그 계획은 수포로 돌아갔다. 내 의사를 받아들인 줄 알았던 담임선생님은 5일 동안 계속 물어봤다. 담임선생님뿐만 아니라 이 사실을 알게 된 엄마, 그리고 주변 친구들, 아카데미 동기들로부터 들들 볶였다. 단체로 짠 것처럼 '포기하지 마, 아깝다'는 말을 번갈아 하며 나를 붙잡고 애원하는 이들을 어르고 달래며 완곡하게 거절 의사를 밝히느라 바빴다.

그들이 아무리 설득해도 글을 써야만 하는 사람은 나였다. 글을 쓰지 못한다면 이 교육을 받는 의미가 없었다. 담임선생님은 완고한 나의 태도에 결국 백기를 들었고 내 손을 잡고 아카데미 교육실에 교수님과 최종 면담을 하고 중도 포기 각서를 쓰기로 했다.

내가 그동안 받았던 혜택이 큰 만큼 사유서를 써야 할 양도 어마어마했다. 불행 중 다행으로 받았던 장학금을 토해내지 않아도 된다는 사실에 안도했다. 나의 사인과 담임선생님의 사인을 서로 번갈아 가면서 쓰다 보니 어느덧 마지막 장만 남았다.

막힘없이 쓰던 내 손이 계속 같은 곳을 맴도는 것을 눈치챈 담임선생님이 어떤 항목이길래 이리 고민하나 싶어 힐끔 나를 쳐다보셨다.

'중도 교육 포기 사유 (구체적으로 기재)'

또다시 찾아온 백지 공포증에 나는 식은땀을 흘리며 계속 주변 눈치를 봤다. 그런 내 모습에 다들 안타까워하는 시선이 느껴졌다. 계속 뭉그적거리며 사유를 쓰지 못하자 사람들은 간단하게라도 적으면 된다고 말했지만 그럴 수 없었다.

'간단하게'라는 말조차 어려웠다. 나는 결국 마지막 중도 교육 포기 사유 항목도 끝내 쓰지 못했고 그 모습을 지켜본 담임선생님이 나를 대신해 써주셨다. 사유에 대해 어떻게 작성해 주셨는지 물어보지 않았다. 대답을 들을 자신도, 그 사유를 볼 자신이 없었다.

서류 작성은 모두 끝났고 이제 가 봐도 된다는 담당자의 말을 끝으로 선생님과 센터를 나오는데 나름 정들었던 아카데미 교육장을 마지막으로 한번 보고 싶어 담임선생님에게 밖에서 잠깐 기다려달라는 말하고 멀리서 4명의 동기가 수업을 듣고 글을 쓰는 모습을 바라보았다.

나와는 다르게 글을 쓰는 내내 행복해 보이는 모습에 마음이 아팠다. 반짝 빛나는 그녀를 볼수록 숨쉬기가 힘들어졌다. 무거운 돌덩이가 내 가슴을 꾹 누르는 것만 같았다. 어지러웠고, 쓰러질 것만 같았다. 도망쳐, 빨리- 라는 소리가 귓가에 맴돌았다. 나는 결국 그들에게 감사하다, 미안하다는 말도 하지 못하고 그곳을 도망치듯 벗어났다.

담임선생님께서 집 앞까지 데려다주신 덕분에 귀가 시간이 빨라졌다. 포기한다는 사실을 알고 제일 분노한 것은 엄마였다. 중도 포기에 대한 사인을 하는 내내 엄마 얼굴이 아른거렸다. 항상 나에게 큰 기대를 하고 있었던 것을 알고 있었기에 최대한 포기하고 싶지 않았지만 어쩔 수 없었다.

무거운 마음으로 집 안으로 들어갔지만, 생각보다 분위기는 화기애애했다. 성인이 된 언니는 예전에 겪었던 사춘기에 여파가 좀 남아 있어서 엄마와 사이가 그다지 좋지 않았다. 그건 엄마도 마찬가지였다.

그래서 둘째인 나를 가운데 두고 이야기를 나눌 정도였다. 그런 사이를 개선해 보고자 조잘거리는 역할을 맡았었다. 그만큼 둘이 개인적으로 사담을 나눌 만큼 친밀한 사이가 아니라 생각했다.

엄마의 깔깔깔 웃는 소리가 밖에서도 들릴 정도였다. 내가 어렸을 때 졸음과 싸우며 엄마에게 글짓기 상장을 보여줬던 그날처럼. 분명 분위기가 좋은 것은 나에게 있어 호재인 게 틀림없는데 이상하게도 이 상황이 재앙처럼 불안감에 온몸이 저렸다. 마치 들어가면 안 된다는 것을 온 우주가 말해주는 것만 같은 기분에 사로잡혔다.

"어, 수지야 왔어?"

주뼛주뼛하게 서 있는 나를 발견한 것은 엄마였다. 어제까지 잡아먹을 듯 화를 내며 소리친 엄마의 목소리는 부드럽고 온화했다. 어색한 미소를 지으며 나는 집 안으로 들어갔다.

"언니가 출판사랑 책 출간 계약을 했대. 오늘 계약서가 등기로 왔더라고."

그 말을 끝으로 엄마랑 언니가 서로 웃으며 즐거운 대화를 계속 이어 나갔다. 그러거나 말거나 나는 책상 위에 올려져 있는 언니의 출간 계약서를 보며 오늘 내가 사인한 교육 중도 포기 각서가 겹쳐 보였다.

언니는 엄마와 나 몰래 작가라는 꿈을 꾸고 있었다고 했다. 항상 글쓰기 관련된 대회에서 입상하고 장학금을 받고 공모전에서 상금을 타는 동생에게 기가 눌려 있던 언니는 차마 말하지 못했다고 했다.

"가족끼리 뭔 그런 눈치를 봐, 허구한 날 사고만 치다가 이렇게 마음 다잡고 작가가 되다니 너무 축하해."

엄마는 진심으로 이 상황을 기뻐하고 즐거워했다. 나 또한 살면서 가장 언니에게 고마운 날이었다. 언니가 작가가 돼준 덕분에 덜 혼났으니까. 나는 언니에게 작가가 된 것에 대해 너무 축하한다는 말과 함께 씻고 옷 갈아입는다는 명분을 대며 방으로 들어갔다.

언니가 쓴 계약서와 내가 쓴 포기 각서가 아른거렸다. 어릴 때 나에게 했던 엄마의 말이 떠올랐다. 그래, 엄마의 말이 맞았다. 우리 집에 작가가 탄생했다. 단지 그게 내가 아닐 뿐이었다.

며칠 뒤 세연이에게 문자가 왔다. 자신의 시놉시스가 채택되어 단막극을 하게 되었다는 이야기였다. 공연하게 되었으니 와줬으면 좋겠다는 말과 함께 보고 싶다는 말이 유독 크게 보였다.

극작가를 포기하고 마음이 편할 줄 알았는데 아니었다. 본격적으로 출간을 준비하는 언니의 모습을 봐야 했고 세연이는 여전히 나를 챙겨주는 좋은 친구로 남아주었다. 아카데미에 있었던 이슈와 수업의 내용을 상세히 기록해 늘 공유해 주었다.

중도 포기 각서를 쓰고 난 이후 나는 글을 쓴 적이 없었다. 활자에 눈길도 주지 않았고 공모전에 참여하면서 대학 진학을 위한 수상 경력 만들기를 그만두었다. 그저 글이라는 것에서 벗어나고 싶어졌다.

고등학교 2학년 마지막 겨울 방학, 진학반과 취업반을 두고 최종 면담이 있는 날이었다. 1학년, 2학년 때까지 진학반을 목표로 하고 있었고 취업에 딱히 관심이 없었다. 이제 작가라는 것을 포기했으니, 진학에 목숨을 걸 필요가 없어졌다.

갑작스러운 취업 선언에 당황한 것은 당연히 담임선생님과 친구들이었다. 6개월 전부터 엄마가 아팠다. 위가 아프다고 종종 말했지만, 병원에 갈 시간과 돈이 없다는 말로 민간요법에 의존하며 하루하루 버텼다.

민간요법으로도 버틸 수 없는 수준의 통증이 지속되자 병원을 찾은 엄마는 결과를 이미 예견한 듯 담담하게 받아들였다. 그저 나와 언니만 이 결과에 참담한 심정이었다. 엄마는 위암과의 전쟁을 선포하고 승패를 가늠할 수 없는 싸움을 준비하고 있었다. 그 영향도 없잖아 있었지만, 애석하게도 나로서는 그게 큰 명분은 아니었다.

그러나 엄마가 아프고 집이 어렵다는 이유는 담임선생님을 설득하기 아주 좋은 명분이었다. '아쉽지 않겠냐.'는 선생님의 말씀에 '글은 나중에 천천히 자리 잡고 집이 안정되면 다시 시작하면 돼요'라는 그럴듯한 변명을 하고 도망쳤다.

　무대 위에 있는 배우들과 감독님, 스태프들 모두 정신이 없었다. 1시간 뒤 시작되는 연극에 최선을 다하고 싶은 사람들의 간절한 마음이 휘몰아치는 이곳은 뜨겁다 못해 내 모든 것들이 녹아내릴 것만 같았다.

　그중에서 가장 빛나는 사람은 세연이었다. 자기 작품이 단막극으로 올라가는 이 상황을 실감할 수 없어 어리둥절한 표정이지만 내 극본이 무대에 올라가는 날이 찾아왔다는 희열감에 부푼 붉은 뺨이 이따금 무대 위 조명에 닿을 때면 더욱 반짝였다.

　그녀는 내 주변에 있는 사람들을 통틀어 가장 다채로운 사람이었다. 백지 위에 여러 가지 물감을 흩뿌리는 일을 절대 무서워하지 않았다. 색이 섞이든 내가 원했던 색상이 나오지 않았든 그 무엇도 상관하지 않았다.

　그 결과 자신이 쓴 대본을 무대에 올리는 짜릿한 승리를 거머쥔 드라마 속 주인공이 되어 있었다. 한때 나와 무대 위에 올라간 이 작품에 대해 가장 많은 이야기를 나눈 동기였던 그녀는 이제 늠름한 작가의 모습을 하고 있었다.

　세연이는 주변 사람들에게 둘러싸여 축하받고 있었다. 이제는 동기가 아닌 지인 중 한 명으로 환하게 빛나며 웃는 그녀에게 진심을 담아 축하의 마음을 전해야 할 일이 남아 있었다. 그런데 선 듯 그녀에게 다가갈 수가 없었다.

그 누구도 나와 세연이를 비교한 적이 없었다. 그녀를 나와 비교하고 자존심, 자존감을 짓밟으며 비웃는 사람은 바로 나였다. 지금, 이 순간에도 도망치며 중도 포기한 사유를 쓰는 일조차 남에게 맡겨버린 비겁자라며 손가락질하고 서슴없이 욕설을 퍼붓고 있었다.

어지럽고 혼란스러운 머릿속과 마음을 애써서 달래가며 그녀를 바라봤다. 나를 보며 환하게 웃으며 두 팔을 벌려 반가움을 가득 담아 인사하는 세연이의 모습을 보자 눈물이 났다. 어느덧 자신만의 세상을 완성 시킨 작품을 남들에게 보여주는 그녀의 모습을 보니 불현듯 어릴 적 글을 쓰는 것이 마냥 즐겁고 좋아 어쩔 줄 몰라 하던 내 모습과 겹쳐 보였다.

작가라는 원대한 꿈을 가졌던 새벽 그날의 추억 속 인물은 이제 내가 아니라 세연이었다. 문득 글을 쓰는 행위는 마치 혼자 울다가 웃다가 북 치고 장구 치고 난리 블루스를 추는 짝사랑과도 닮았다는 생각이 들었다.

나에게는 그런 감정이 없고 세연이에게는 그런 소중하고 따뜻한 감정이 있었다. 그게 가장 큰 차이였다. 이제 비로소 중도 교육 포기 사유를 쓸 수 있을 것만 같은데 그러기엔 이미 늦어 버린 것을 알아차렸다. 결국 나는 세연이에게 축하한다는 말도 하지 못하고 그곳을 도망치듯 벗어났다.

내가 쥐고 있는 모든 것들을 버리고 도망치면 괜찮아질 거라 생각했던 내 판단은 또 틀렸다. 소극장에서 도망친 그날 세연이와의 관계도 틀어져 수습할 수가 없었다. 그렇게 동기들과의 인연은 끝이 났다.

　학교에서도 적응하지 못하고 겉돌고 있었다. 친하게 지냈던 친구들은 모두 진학반이었고 갑작스럽게 취업으로 진로를 틀어 버린 탓에 취업반에 있는 아이들과는 거의 초면이었다. 그저 앞으로 나아가지 못하고 멈춰 있는 사람은 나뿐이었다.

　언니는 책이 출간이 된 이후 본격적으로 작가로서의 입지를 다지고 있었고 엄마도 암이라는 녀석과 잘 싸워주고 있었다. 모두 각자 자기 삶에 대한 소명을 알고 있는 듯 천천히 앞으로 나아가고 있었다.

　나만 이러지도 저러지도 못하고 전전긍긍하며 불안함에 사로잡힌 채 헤매고 있었다. 끝을 모르는 바닥으로 추락하는 기분을 떨쳐낼 수가 없었다. 아무리 발버둥 치고 올라가려고 안간힘을 써도 잘되지 않았다.

　결국 스스로 그 바닥에서 기어 나와 밝은 세상을 바라볼 생각은 하지 않고 그 바닥이 주는 어둠 속 세상에 살겠다며 올라가기를 포기했다. 삐뚤어진 마음으로 뒤틀린 세상이 옳다 믿기 시작했다.

　언니가 작가라는 타이틀을 얻은 후 그것과 비교할 수 있을 만큼의 네임드를 나 또한 고집하기 시작했다. 남들이 회사 이름을 들었을 때 '아 거기?'라고 말할 정도의 수준을 원했다.

　취업으로 진로를 급하게 돌린 탓에 1학년 때부터 취업을 생각한 이

들을 따라잡기 위해 수면을 줄이며 자격증 취득에 매달렸다. 마음 여린 담임선생님에게 '가정 형편'을 빌미로 제일 먼저 좋은 일자리를 주선해 달라 조르기까지 했다.

그 결과 취업반 학생 중 가장 먼저 좋은 조건으로 대기업에 취업했다. 학교에 내 이름으로 플래카드가 걸렸지만, 기분이 좋지 않았다. 00 대기업 합격이라는 단어 밑에 있는 김수지라는 저 글씨가 낯설었고 거부감이 들었다.

취업 사실을 가장 좋아했던 것은 엄마였다. 합격 소식에 손뼉을 치며 장하다는 말을 들었지만, 결코 기분이 좋지 않았다. 딸이 꿈을 접고 취직을 선택한 것을 까마득하게 잊은 듯 보여 심사가 뒤틀렸다.

그런 엄마와 다르게 언니는 무언가 불만족스러운 표정이었다. 불만과 불평이 가득한 얼굴로 나를 바라보며 무슨 말을 하려고 했지만 입을 꾹 닫으며 본인 방으로 들어가 버렸다. 언니는 그날을 기점으로 글쓰는 것을 포기하지 말라며 계속 나를 붙잡고 매달린 사람이었다.

같은 집, 같은 공간, 혈연으로 엮인 사람과 비교하며 미워하고 질투하며 감정 소모를 하고 싶지 않았다. '싫다'라는 말을 계속하며 거절했지만 끈질기게 매달리며 계속해 보라고 치근덕거리는 모습에 지쳐 되도록 언니와 있는 시간을 최대한 피했다.

집으로 돌아가면 글을 붙잡고 매달리는 언니를 볼 때마다 자꾸만 중도 포기 각서를 쓰고 도망쳤던 그때 그 상황으로 돌아가는 듯한 느낌에 마음이 먹먹해졌다. 가끔은 언니의 모습을 보고 자극을 받아 컴퓨터 앞에 앉아 글을 써보려고도 했다. 결과는 예전이나 지금이나 여전히 단 한 글자도 쓰지 못하는 내 모습에 크게 실망하고 절망했다. 그래서 울면서 다짐했다. 묻자, 나를 괴롭게 하는 것들을.

그렇게 꿈이라는 단어를 가슴에 묻고 알고도 모르는척 하면서 살아갔다. 회사에 다니는 직장인으로서 좋은 점이 있다면 일에 집중하다 보면 과거로부터 몰아치는 잡생각으로부터 멀어질 수 있다는 것이다.

이따금 끈이 풀린 신발을 신은 채 멍하니 이 길 위에 바보처럼 서 있는 것 같은 기분이 들 때면 끈을 묶기보다는 신발을 질질 끌며 걸었다. 그렇게 신발을 끌며 도착한 곳은 바로 회사였다. 가슴이 답답하고 먹먹해질 때마다 나는 회사 일에 더 집착했다.

야근을 밥 먹듯이 했고 주말 출근도 자처했다. 일에 미쳐 살다 보니 집에 돌아오는 일이 점점 드물어졌다. 어느덧 회사에 다닌 지 1년이 되었다. 바쁘게 살아온 만큼 과거에 있던 일들은 흐릿했지만, 마음속에 남아 있는 응어리는 좀처럼 풀리지 않았다. 회사에서 어엿한'선배'가 되고 있을 무렵, 새로운 과장님이 우리 부서로 오셨다. 귀밑까지 오는 짧은 단발머리. 큰 눈망울에 뿔테 안경. 여자치고는 큰 키를 갖고 있는 과장님은 웃는 모습이 매력적인 분이셨다.

출산휴가를 떠난 과장님의 자리는 3개월 동안 채워지지 않았다. 내부에서 사람을 채용하려 했지만 내가 몸담은 부서는 고객 관리팀이었는데 업무 특성상 난이도가 상당히 높은 편이고 처리해야 할 일도 많아 쉽게 지원하는 사람은 없었다. 부서 사람들은 관리자가 없는 상황 속에 휘몰아치는 업무량과 민원을 해결하느라 지쳐 있었다.

계속 자리를 비울 수 없어서 난생처음으로 외부에서 관리자를 채용

했다. 처음에는 다들 경계하고 낯을 가렸지만, 과장님의 상냥하고 다정하며 쾌활한 성격에 부서 사람들은 그녀를 신뢰하기 시작했다.

밀려 있던 일들은 순식간에 처리되었다. 차례차례 과제를 해결한 과장님은 꼭 하고 싶었던 일이라며 1년 이상 근무한 직원들과 개인 면담을 시작했다. 나는 형식적인 면담이라 생각했다. 과장님이 아이스크림을 건네주기 전까지는.

"월드콘 좋아하죠?"

스트레스를 받으면 단 음식을 먹는 습관이 있었다. 음료보다는 차가운 아이스크림을 좋아했고 아이스크림 중에서도 콘으로 된 것들을 더 좋아했다. 그 모습을 눈여겨보셨다는 생각에 놀라 두 눈이 커졌다. 대답 대신 아이스크림을 건네받으며 고개를 끄덕였다.

"1년 이상 근무하신 직원들한테 버킷리스트를 작성하라는 미션을 주고 있어요. 거창하지 않아도 되고 남들이 하는 버킷리스트 나도 해볼까, 하는 마음으로 적어도 좋아요. 적어야 하는 개수도 수지 씨 마음대로 하셔도 됩니다. 다음 주 월요일까지 적어서 저한테 보내주세요."

회사에서 잘 적응하고 있는지, 무엇이 힘든지, 개선되었으면 하는 내용을 물어볼 줄 알았다. 그러나 회사와 전혀 무관한 이야기를 하는 과장님의 뜻을 이해하기 어려웠지만 알겠다고 대답했다. 최근 버킷리스트를 작성하는 것이 유행이었다. 그게 무엇인지는 알았지만 이렇게 회사에서 적게 될 줄은 꿈에도 몰랐다.

"네, 알겠습니다."

나는 짧게 대답하고 회의실 밖으로 나와 자리로 돌아갔다. 한때 유행을 따라 버킷리스트를 작성하려고 했었다. 그러다가 문득 떠오르는 '글쓰기'에 대한 미련에 입안이 텁텁해져 포기했던 적이 있었다. 여전히 아픈 손가락이었던 내 꿈을 마주하기가 힘들었다. 회사 동기들도 똑같은 미션을 받았다며 점심시간에 이런저런 이야기가 나왔다.

바빠 죽겠는데 도움도 안 되는 일을 시킨다며 불만을 표하는 사람들도 있었고 회사 업무에 지쳐 힘들었는데 기분 전환이 될 것 같다며 기대하는 이들도 있었다. 나는 후자 쪽 의견에 가까웠다. 가슴에서 울렁이는 느낌이 싫지 않았다. 오히려 조금 설레는 듯했다.

주말에 내 방 책상에 앉아 버킷리스트를 적기 위해 컴퓨터를 켰다. 흰 백지를 보는데도 답답하지 않았다. 억지로 잊고 살기 위해 가슴에 묻어 두었던 존재들이 꿈틀거리며 이 백지에 하나씩 나라는 존재를 적어달라며 아우성치는 기분이었다.

문득 초등학생 때 장래 희망을 조사하는 설문지에 백지를 냈던 친구가 떠올랐다. 선생님은 교탁으로 그 아이를 불러서 크게 혼을 냈다. 그러고는 무엇이든 쓰라고 강요했다. 하다못해 부모님께 물어보고 정해서 오라고.

유년 시절 초, 중학생까지 장래 희망을 적는 칸에는 본인이 희망하는 장래 희망과 부모님이 원하는 장래 희망도 기재하게끔 되어 있었다. 나는 두 개의 칸이 일치했다. 언제나 그 칸에 기재된 직업은〈작가, 소설가〉였다.

꿈이 없는 사람과 꿈이 있는 사람의 차이를 비교하는 강연들이 히트했던 시대였다. 정확한 진로를 정해 그 길을 꾸준히 걸어가는 이가 성공한다는 말을 선생님도, 엄마도 강조하며 말했었다.

스스로 이 길을 가겠다고 정한 친구들이 몇이나 될까. 대부분 부모님이나 TV에서 나온 성공이 보장된 직업을 장래 희망으로 적은 사람들이 훨씬 많았을 것이다. 그렇게 주변에서 정한 장래 희망을 가슴에 품고 살다가 내 길이 아니라고 부모님과 선생님을 설득하면서 감정이 꺾이고 좌절을 경험한 나 같은 사람들이 생각보다 많을 것이다.

나는 실은 엄마에게, 선생님에게 이 질문을 하고 싶었다. 〈열정과 꿈을 끊임없이 강요하는 게 맞는 건가요? 어린 나이에 꿈을 가지지 않는 게, 꿈을 포기하는 게 잘못인가요?〉라고. 그러나 차마 하지 못했다. 질문에 대한 대답을 들을 용기가 없었다.

어렸을 때는 이러한 말들을 들을 수밖에 없는 나이라고 생각했다. 성인이 되면 자연스레 이런 감정도 목표도 꿈이라는 단어도 서서히 흔적도 없이 사라져 무뎌질 거로 생각했다. 그래서 취업하고 직장인이 된 것에 대해 후회하지 않았다.

그런데 갑자기 생각하지도 못한 버킷리스트라는 단어를 들었다. 게다가 리스트를 적어서 월요일까지 제출해야 하는 순간이 내게 주어졌고, 또다시 컴퓨터 앞에 한글 프로그램을 켜고 백지를 마주 봐야 할 줄은 꿈에도 상상하지 못했다.

18살 중도 포기 각서를 썼을 당시와는 다르게 백지를 내지는 않을 것만 같았다. 무엇을 가장 먼저 적어야 좋을까 하며 시간을 보냈다. 행복한 고민이라는 말을 조금은 이해할 수 있을 것 같은 기분이 들었다.

긴 고민 끝에 가장 먼저 적은 버킷리스트 1번은 〈언젠가 내 마음이 움직이는 그날에 망설이지 않고 글을 쓰는 것)이었다. 버린 줄 알았던 나만의 글쓰기에 대한 소망이 살아나는 것 같은 기분이 들었다. 1번을 쓰고 나니 2번, 3번은 술술 나왔다.

30살 되기 전에 유럽 한 달 여행 다녀오기, 30살 되기 전에 한국 영토 다 돌아보기 등 여태 가슴속에 품고 있던 목표들을 하나씩 적기 시작했다. 난생처음 월요일 회사 출근하는 그날이 기다려지는 순간이었다.

마음을 담아 쓴 버킷리스트를 월요일에 과장님께 제출하고 바쁘게 일을 하느라 그 존재를 잊고 있었다. 한바탕 휘몰아쳤던 일이 소강상태를 보일 무렵, 과장님은 나를 회의실로 불렀다.

과장님은 버킷리스트를 잘 봤다고 말하며 이 목표를 이룰 수 있는 팁을 주었다. 세부 목표와 시작일, 소요 시간, 보상 등에 현실성을 고려해 계획을 세우면 좋다는 말씀을 덧붙여 주셨다.

"버킷리스트를 작성하라고 한 이유는 회사에 다니는 동안 수지 씨가 목표를 이루는 모습을 보고 싶기도 하고, 도와주고 싶기도 해서 써 보라고 말씀드렸어요. 옆에서 응원해 주는 사람이 있으면 그게 또 원동력이 되기도 하거든요."

따스한 미소를 지으며 내가 쓴 버킷리스트를 바라보는 과장님을 보며 마음이 포근해지는 것을 느꼈다. 위로라는 것이 이런 느낌이구나 싶었다. 18살 때와는 다른 느낌에 과장님께 이것저것 질문하고 싶은 마음에 몸이 근질거리는 것만 같았다.

"가장 인상 깊었던 버킷리스트는 1번이었어요. 꿈이 작가예요?"

여태껏 남들에게 작가라는 꿈은 이제 접었다고 말했던 것과 달리 나는 수줍게 웃으며 고개를 끄덕였다.

"저는 이 목표를 이루는 수지 씨 모습을 보는 게 꿈이에요. 이 목표는 구체적으로 정할 필요 없어요. 언제가 되었든 상관하지 말아요. 수지 씨가 적은 것처럼 글을 쓰고 싶은 그날이 오면 망설이지 않고 하면 돼요. 그 용기가 제일 멋지고 소중하니까. 이루게 되면 무조건 알려줘요!"

생각하지도 못한 응원에 문득 18살 나에게 지금의 내가 가장 하고 싶었던 말이 있다면 이 말이 아닐지 하는 생각이 들었다. 그리고 깨닫게 되었다. 책임으로부터 도망치고 외면하고 가슴에 묻는 것만이 최선이라 여겼던 것들이 실은 계속 마주 보고 싸워서 이겨내야 하는 일이라는 것을.

"나만의 위치, 나만의 페이스로 리스트에 적은 목표를 하나씩 천천히 이뤄내는 게 버킷리스트의 장점이자 목표에요."

나만의 위치와 페이스로 목표를 이룬다는 말이 뇌리에 박혔다. 과장님은 '화이팅!'이라는 말을 마지막으로 면담이 끝났다. 나는 한동안 과장님이 말씀하셨던 말을 천천히 더듬으며 되새겼다. 꿈을 가진 자는 행복하다는 말을 미끼로 나는 형태가 없는 꿈을 좇고 있진 않았을까 하는 생각을 하면서.

퇴근하는 길 위에서 나를 붙잡고 매달리는 언니가 계속 떠올랐다. 어쩌면 내가 꿈을 이루고 행복해하는 모습을 가장 보고 싶어 하는 사람은 바로 언니가 아니었을까, 라는 생각이 들었다.

집으로 돌아와 마감하고 있는 언니를 불렀다. 1년 동안 꾸준히 책을 발간하며 작가의 길을 걷고 있는 언니를 보며 대단하고 멋지다고 생각했지만, 입 밖으로는 꺼내지 못했다. 진심으로 언니를 응원해준 적이 없다는 사실에 부끄러웠다.

"글쓰기 싫다는 말은 거짓말이야."

진심을 있는 그대로 꾸미지 않고 털어내는 일. 가장 하고 싶었지만, 용기가 없어 할 수 없었던 이 말을 제일 하고 싶었다.

"아직 쓰고 싶은 글이 없어. 쓰고 싶은 글이 생기면 그때는 무조건 쓸 거야."

언니는 내 말에 놀란 눈치였지만, 알겠다고 고개를 끄덕였다.

"18살 때에 나는 남이랑 비교하면서 사느라 위축되고 자신감이 떨어지는 모습이 싫어서 도망쳤어. 근데 지금은 아니야. 언니를 질투했던 적은 있지만 싫다고 생각한 적은 없어. 작가로서의 언니는 너무 멋지고 대단하다고 생각해."

내 말을 들은 언니는 '고마워'라고 짧게 대답했다. 우리 둘 사이에 있던 벽이 조금은 허물어진 느낌이 들었다. 하고 싶었던 말을 모두 내뱉으니, 속이 후련해졌다. 이 용기를 발판 삼아 사과하고 용서를 구하고 싶었던 세연이에게 마음을 담아 문자를 보냈다.

『세연아, 미안해. 그때 했던 내 행동은 어떤 사유를 불문하고 잘못한 일이야. 내가 우리 사이를 망친 걸 알아. 용서를 바라지는 않지만 그래도 꼭 미안하다고 제대로 사과하고 싶었어.』

부디 전화번호를 바꾸지 않았기를 바라는 마음으로 내용을 쓰고 지우기를 반복했다. 바로 답장이 오지 않아 시무룩했지만, 상대방에게 용서를 바라는 것은 이기적이라는 생각을 하며 그저 어제와 똑같이 집에서 씻고 밥 먹고 쉬고 있었다.

띠링, 문자가 왔다는 알람음에 화들짝 놀라며 핸드폰을 바라봤다. 벌렁거리는 심장을 부여잡고 천천히 문자 내용을 확인했다.

『그래, 알았어. 문자 보내줘서 고마워.』

그녀의 답장에 결국 눈물을 흘리고 말았다. 다시 그때의 우리로 돌아갈 수는 없지만 그래도 서로의 마음에 불편한 감정을 털어내기에는 충분했다. 마음에 담아두었던 응어리의 깊이와 높이만큼 눈물을 한 바가지 쏟아내니 후련했다. 무채색이었던 삶이 점차 색을 찾아가는 느낌이었다.

마음의 짐을 털어낸 후 찾아온 일상은 어제와 다르지 않았지만, 따뜻한 기분이 들었다. 그리고 자연스럽게 버킷리스트에 쓴 목표를 하나씩 해보자! 라는 마음이 들었고 제일 먼저 한 것은 국내 여행이었다.

친구를 꼬셔 가평으로 여행을 갔다. 첫 1박 2일 여행이었다. 친구들이 '집순이'라고 부를 정도로 밖에 나가는 것을 싫어했다. 그런 내가 스스로 친구를 꼬셔 여행을 갔다. 처음이 어렵다고 그 이후로는 여행에 대한 노하우가 쌓이고 흥미와 재미가 붙어 주말마다 1박 2일, 혹은 당일치기로 꾸준히 여행을 다니기 시작했다.

지역 구석구석을 돌아다니며 살다 보니 어느새 한국에 영토를 다 돌아보자, 라는 목표를 이뤄냈다. 해외여행을 가기 전에 한국부터 다 돌아보자는 조금은 무모한 도전이 과연 성공할까 하는 막연한 불안감이 있었는데 막상 이루고 보니 얼떨떨한 마음과 함께 내가 정말 해냈구나 하는 뿌듯함에 눈물이 났다.

목표를 이루고 또 다른 목표를 세워서 실천하는 재미에 빠졌다. 가끔은 계획이 꼬여 노력한 나날들이 수포가 되는 일도 있었다. 그러나 이 또한 목표를 이루기 위한 과정 중 하나라고 생각하며 무난히 넘기기 시작했다.

29살 때 국내 여행을 끝으로 한 달 유럽 여행을 가게 되었을 때 영국으로 가는 비행기 안에서 두 눈을 감으며 과거를 회상하고 있었다. 18살 후회에 찌들어 자신을 갉아먹고 있는 그때의 나를 보기 위해서. '그때의 너는 그럴 수밖에 없었어, 포기를 선택한 것이 그때 당시의 최선이었어.'라고 말해주고 싶어서.

지금의 나는 시간이 다소 오래 걸리고 중간에 흐지부지되더라도 그때처럼 초조하거나 불안해하지 않는다. 포기하지 않으면, 잊고 살지 않으면 반드시 그 간절한 마음이 닿을 것이라는 말을 믿는다. 이제는 안다. 꿈과 목표를 이루지 못하는 자기 능력을 탓하며 괴로워하고 자책하며 본인 자신을 왜소하게 만들 필요가 없다는 사실을.

지금도 나는 쓰고 싶은 게 없다. 실은 글을 쓰는 것도 그렇지만 하고 싶은 일을 여전히 모르겠다. 그러나 억지로 찾으려고 노력하지 않는다. 무리해서라도 앞서가는 이들을 따라잡기 위해 아등바등 살지 않는다. 멀리서 뛰어가는 이들의 뒷모습을 지켜볼 뿐이다.

다만, 확실한 것은 예전이나 지금이나 앞으로도 늦더라도 글 앞에서서 끙끙거리며 끄적거리고 있을 것이고 하고 싶은 게 없다는 것이 부끄러운 일이 아니라고 솔직하고 당당하게 말하고 다닐 것이다. 나는 작가라는 꿈을 잊지 않았고 지운 적 없었다. 그저, 목표를 향해 천천히 걸어갔을 뿐이다. 풀리는 신발 끈을 계속 질끈 묶으면서.

행성 환경 대출기구 미래-후손

김현

김 현   밖에서 움직이는 건 죽어도 싫어서 어릴 때부터 도서관에서 책을 읽었습니다. 책을 읽고 몽상하기를 좋아하던 학생은 커서도 눈을 감고 몽상합니다. '저 먼 우주에는 무슨 일이 있을까, 이 지구에 비밀이 있지 않을까, 이해할 수 없는 생명체가 있다면 어떻게 해야 할까.' 지금은 그 몽상에 다른 이들을 초대하기 위해 흰 백지에 적고 있습니다.

instagram: @tomiya758

blog: dreamywrite-kh.postype.com/

"만나서 반갑습니다. 행성 주민 여러분."

나는 이 말이 싫다. 아니 나만이 아니라 내가 살고 있는 행성 주민 모두가 싫어할 것이다. 첫 문장부터 이렇게 말해서 미안하지만, 우리가 이 문장을 싫어하게 된 건 이유가 있다. 내가 지금 쓰고 있는 시간을 기점으로 60년 전이었나. 아니. 어쩌면 더 길 수도 있고 반대로 더 짧을 수도 있다. 이곳은 시간을 제대로 가늠하기 힘들기 때문이다. 그러니까 내가 기억력이 좋지 않거나 잘 잊어버린다고 착각하지 않았으면 좋겠다. 진심이다. 이 글을 읽고 있는 당신이 그렇게 생각한다고 해도 내가 뭘 할 수 있는 건 아니지만 내 의견을 주장하는 것 정도는 괜찮지 않은가.

이런. 이런 이야기를 쓸 생각은 아니었는데. 미안하다. 다시 본론으로 돌아가겠다. 우리가 싫어하는 이유는 그 말을 시작으로 우리가 죽음의 권리를 잃어버렸기 때문이다.

행성이 스스로 끊기 시작한다는 선언이 끝나는 순간에 일어난 일이었다. 미래-후손은 검은 화면에 목소리만 담긴 영상을 우리 행성에 송출했다. 각자 다른 방송을 보고 있던 이들에게도 동일한 영상이 나와서 처음에는 다들 혼란스러웠다. 나와 내 친구는 멍청한 표정으로 서로의 얼굴을 잠깐 보았다가 다시 영상에 집중했다.

지금도 그들이 말한 걸 선명하게 기억하고 있다.
"만나서 반갑습니다. 행성 주민 여러분. 행성이 끓는 시점으로 여러분이 향유하고 있던 행성 환경 대출 기간이 끝났음을 알려드립니다. 그동안 여러분이 사용해 오신 환경을 회수하고자 하오니 모든 채무를 상환해 주시길 바랍니다. 이미 돌아가신 분들의 경우 저희가 영혼을 회수하여 부채를 상환받고 있사오니 억울해하지 마시길 바랍니다. 죽음으로 도망치시는 분은 없으리라 믿습니다. 지금까지 행성 환경 대출기구 미래-후손이었습니다."

이 목소리를 끝으로 우리는 채무자가 되었다. 물론 다들 그 말을 진심으로 받아들이지 않았다. 이때만 해도 그저 악질적인 해커가 대규모 장난을 쳤다고 생각했다. 나나 친구나 그걸 따라 하면서 웃을 정도로 가볍게 여겼다. 그렇게 웃고 떠들며 이 일은 그대로 묻히는 듯했다.
그러나 1달 뒤. 우리 행성에 변화가 일어났다. 모든 주민 머리 위에 기이한 숫자가 나타난 것이다. 단위는 각각 달랐지만 예외 없이 모든 숫자가 붉은색이었다. 여기까지는 큰 문제가 아니었다. 식물인간이 깨어나고 죽었어야 할 이가 살아 숨 쉬었다. 몸이 짓뭉개져도 움직이던 그 모습이 방송으로 나왔을 때는 정말 참혹했다. 이걸 기적이라고 칭하는 이도 있었고 종말의 전조라고 외치는 사이비도 있었다. 다른 이들은 어땠을지 모르겠다. 하지만 죽음에서 복귀할 수 있다는 소식은 나에게 공포를 가져왔다. 죽음이라는 선택지를 강제로 빼앗겼다는 생각이 들어서일지도 모른다. 그 공포는 거리에서 교통사고로 고깃덩이가 된 피해자가 꿈틀거리면서 움직이는 걸 보는 순간 더 커졌다. 친구는 아무 생각이 없는지 옆에서 구역질하는 내 꼴을 보고도 저 고깃덩이가 살아있으니 다행이다라고 말했다. 그게 얼마나 어이없던지. 죽을 수 있는 권리를 잃어버린 게 뭐가 좋다고 실실 웃는 친구의 얼굴에 주먹을 날리고 싶었다.

···무슨 말이 이렇게 기냐고 투덜거리는 당신이 보이는 것 같다. 좀 더 인내심을 가져줬으면 좋겠다. 지금 읽고 있는 이 글이 당신 행성에 얼마나 큰 정보인지 아직 모른다. 당신은 이 글을 소설이라고 웃어넘길지도 모르지만 당신에게 말하겠다. 이건 경고이고 정보이며 당신에게 주어진 희망이다.

이야기를 다시 시작하겠다.

사회가 혼란 상태일 때 그들은 다시 나타났다. 첫 방송처럼 이번에도 목소리만 나왔다. 나는 무서워서 TV 콘센트를 뽑았다. 아, 이 얼마나 무서운지. 놀랍게도 목소리는 끊어지지 않았다. 그제야 나는 그들이 우리의 기술을 뛰어넘은 외계인임을 깨달았다. 나는 너무 무서워서 그 자리에 풀썩 주저앉았다.

지금 다시 생각해도 무섭다. 글을 쓰고 있는 이 손이 떨리고 있으니까.

나의 공포는 알 바 아니라는 듯이 그 목소리는 사무적으로 제 할 말만 떠들었다. 그들은 우리의 머리 위에 떠 있는 숫자가 우리가 사용해 온 환경부채이며 해당 숫자가 0이 되거나 초록색이 되면 모든 부채를 상환했다는 의미라고 설명했다.

물론 모든 이가 수긍한 건 아니었다. 전쟁이 일어난다고 모두가 입을 모아 말할 정도로 분위기가 좋지 않았다. 하지만 우리는 제대로 싸우지도 못하고 졌다. 미래-후손은 어디를 공격해야 쉽게 이길 수 있는지 알고 있는 것 같았다. 그들은 우리가 사용하는 에너지 생산소를 가장 먼저 공격해서 자원을 끊었다. 어떤 기술인지 모르지만 우리 행성의 발전된 기술로 만들어진 기계가 전부 망가졌다. 새로 부품을 고치고 회로를 다시 이어도 기계는 움직이지 않았다. 우리는 무기를 잃었다. 정보를 취합할 수 없고 꺼지지 않던 도시의 불빛은 어둠에 잠겼다. 바람 앞의 등불처럼 모든 게 무너졌다. 이 일로 우리는 마스크를 사용할 수 없게 되었다. 첨단기술로 무장되어 우리가 숨을 쉬기 편하게 해주는 기계였는데 고물이 되었다.

진정으로 모든 주민이 채무자가 되는 순간이었다. 마스크가 망가져서 숨 쉬는 것이 피로웠지만 죽음의 권리를 잃었기에 우리는 살 수 있었다. 어떤 이는 말도 안 된다며 거품 물면서 분노했고 비웃으면서 평소대로 살아가는 이도 있었다. 그리고…… 시위하는 이도 있었다. 친구는 피로워서 얼굴을 찌푸리며 시위했다. 나는 녀석이 그렇게 화를 내는 걸 본 적이 없다. 얼굴이 벌겋게 변할 정도로 소리 높여 외치는 그 모습을 보고 나는 도망쳤다.

나는 그 시위에 들어가지 않았다. 오히려 시위가 있는 곳을 피했다. 물론,

내 친구도 피했다. 왜냐고? 나는 미래-후손이 무서웠다. 그래서 입을 꾹 다물고 복종했다. 지나가다가 본 시위는 너무나 열정적이어서 부럽기도 하고 샘나기도 했다. 그렇게 나서지 못하는 나 자신이 부끄럽기도 했다. 그래서 시위를 외면했는지도 모른다. 저들이 하는 건 아무런 의미도 없다고 속으로 깎아내렸다. 저항 세력이 잡혀서 개조되는 영상이 행성에 송출되었을 때 내 생각이 맞았다고 고개를 끄덕였다. 실제로 그 당시 저항 세력에 속해있던 이들 절반 정도가 압도적인 공포로 불타오르던 저항 정신이 꺾였다. 시위에 나갔던 친구조차 입을 꾹 다물고 환경부채를 갚기 위해 움직였다. 나는 그 모습을 보면서 혀를 찼다. 공포에 꺾일 거면서 뭣 하러 시위를 한 건지. 그들이 숨어서 은밀하게 활동하는 걸 전혀 모르는 나는 그렇게 그들을 얕보았다.

지금 생각하면 나는 참 비겁했다. 공포에 무릎을 꿇고 환경부채를 갚으면 된다고 귀를 막은 주제에 뭐가 잘났다고 희망을 놓지 않고 바꾸려고 하던 그들을 비웃었는지. 그때의 나는 숫자를 전부 지우면 채무자에서 벗어날 수 있다는 희망으로 움직였다. 그래서 저항 세력을 더 무시했다. 좋은 방법을 놔두고 움직이는 머저리들이라고……

멍청했던 내 과거에 대한 비난은 줄줄 쓸 수 있지만 당신에게 필요한 것은 아니니 그 내용은 줄이겠다.

내가 사는 행성은 많은 것이 변화했다. 일단 직업이 사라졌다. 일을 할 수 있는 기반이 전부 사라졌으니 당연하다면 당연한 일이었다. 대표적으로 의사가 있다. 미래-후손이 우리에게 무엇을 했는지는 모른다. 하지만 생명이 죽지 않고 병이 있던 이도 병이 사라졌다. 육체적인 치료는 소용이 없어졌다. 이처럼 많은 직업이 사라지고 살아남은 직업도 시간이 흐르면서 사라졌다. 회사원이었던 나도 직업을 잃었다. 회사가 돌아갈 수 없으니 출근해도 제대로 일을 할 수 없었다. 왜 그리 열심히 이력서를 쓰며 합격했는지 허망할 정도로 내 직업은 천천히 녹슬며 멈췄다.

나는 부채를 갚기 위해 노력했다. 방식을 잘 몰라서 처음에는 일회용품을 사용하지 않거나 분리수거하는 수준으로 움직였다. 그러나 머리 위에 있는 숫자는 내려가지 않았다. 살아 있다는 것만으로 숫자가 올라가고 있었다. 우리가 먹고 생활하는 것 하나하나 숫자가 되어 올라갔다. 환경부채를 갚을 수 있기나 한 건지 의문이 들 정도로 내려가는 속도는 무척 느렸지만 올라가는 것은 빚보다 빨랐다. 이게 직업이 사라진 정확한 이유다. 빚을 갚는 것 외에 우리가 일을 할 시간도 이유도 없었다. 내가 친구에 대해 일시적으로 관심을 잃은 시기이기도 하다. 나는 친구가 무엇을 하든 그게 신경 쓰지 않았다. 다만 가끔 마주치면 어설프게 웃어줬다. 곰곰이 생각하면 그때 내 친구는 자주 이 마을에 보이지 않았던 것 같다. 뭐, 그 당시 생태계를 복구시키는 것 외의 관심사를 가진다는 건 사치였다. 그래서 나는 친구가 보이지 않아도 신경 쓰지 않았다. 그저 내 숫자가 하루라도 빨리 내려가기를 원했다.

환경부채를 갚으면서 생태계는 생각보다 섬세한 균형으로 이루어져 있다는 걸 알았다. 생태계는 몇 가지가 빠져도 바로 무너지지 않는다. 대체제가 어느 정도 있기 때문이다. 대규모로 멸종하는 게 아닌 이상 빈 곳이 다시 채

위진다. 자연적인 생존 법칙으로 어쩔 수 없이 멸종해도 생명이 끝까지 이어지는 건 그 섬세한 균형 덕이다. 하지만 동시에 그건 특정 요건만 복원하면 안 된다는 의미다. 작게는 미생물부터 크게는 생존환경까지 전부 맞추어야 복원이 가능하다.

그래서 10여 년간은 실패했다. 전문적으로 그에 관한 일을 하는 게 아닌 이상 당연하다면 당연한 일이었다. 무엇보다도 미래-후손이 기계를 전부 사용할 수 없게 만들어서 정보를 모으는 것도 옆 도시, 아니 옆 마을에 가는 것도 어려워졌기에 같은 마을에 사는 이들 모두 다 같이 다녔다. 같은 마을끼리 뭉쳐야 살 수 있다고 생각했었다. 그러나 사람이 많으니 의견충돌이 심해졌다. 결국 다툼이 끊이지 않아서 각자 성향에 맞는 사람들끼리 뭉치게 되었다. 그중에는 다른 마을로 떠난 이도 있었고 차라리 저항이라도 해야겠다며 소리를 고래고래 지르다가 실종된 이도 있었다. 다들 말은 안 했지만 그 사람은 미래-후손한테 끌려간 게 틀림없었다. 지금도 그자가 어찌 되었는지 아직도 모른다.

나는 친구가 들어간 무리에 섞였다. 변하는 세상 속에서 아는 자를 따라가는 게 덜 무서웠다. 내가 있는 무리는 무모하게 시도했다. 처음에는 다들 나처럼 기억하고 있던 환경 보호 행동을 실천했다. 하지만 숫자가 내려가지 않아서 그 행동을 그만두었다. 그다음에 우리가 한 건 식물을 심는 것이었다. 그나마 숫자가 내려갔다. 한 자릿수였지만 내려갔다는 것 자체가 중요했다. 우리들은 미친 듯이 심었다. 화단, 산책로, 강가 등 흙이 있는 곳이 보이면 무조건 심었다. 싹을 틔우지 못해도 상관없었고 다른 이가 심은 것이 있다면 짓이겨서 흙과 섞어 내가 들고 온 식물을 심었다. 섞는다고 비료가 되지는 않겠지만 쓰레기처럼 다른 곳에 버리면 괜히 숫자가 올라갈 것 같았다. 때때로 올라가는 경우도 있었다. 그 경우는 자연적인 현상이 아니라고 판정된 것 같았다. 흙이 없는 아스팔트에 버리면 바로 숫자가 올라갔기에 그런 추측을 할 뿐이다.

저 방식도 오래가지 못했다. 막무가내로 심은 식물로 인해 오히려 환경이 무너졌다. 그 식물이 생태계교란종인지도 모르고 심었으니까. 무너진 생태계로 줄어들던 숫자는 다시 한번 폭증했다. 숫자가 그렇게 빨리 올라가는 건 그때가 처음이자 마지막이었다. 나중에는 도서관을 털어서 자료를 찾았다. 그 과정에서 숫자가 올라갔지만 자료찾기가 중요했기에 나와 같이 움직이는 무리는 신경 쓰지 않았다. 친구는 차라리 거름을 만들자며 작물을 길러서 썩히자고 했다. 도시에서 거름을 만들자니. 우리 무리는 자연적으로 살아가기 위해서는 과거 조상이 하던 방식을 따르는 것이 현명하다는 쪽과 도시에서 멋대로 그런 일을 벌이면 다른 이의 항의는 어찌할 거냐는 쪽으로 갈라졌다. 결국 친구가 속한 쪽이 이겨서 무리의 대장이 마을에 있는 다른 무리와 의견을 나누었다. 허락을 받은 우리는 그날 이후 도서관에서 확인했던 거름 만드는 방법은 전부 시험했다. 숫자가 오르락내리락했지만 실험 결과가 나와야 이것이 옳은 일이었는지 아니었는지 정할 수 있으니. 이번에는 숫자에 일비일희하지 않았다. 그 일을 할 때 오래전 친구와 했던 과학실험이 생각나는 건 왜였을까. 다행히 친구가 말했던 거름 만들기는 성공적이었다. 산이나 거리에 있던 식물에 과할 정도로 줘서 죽여버리는 상황도 생긴 건 비밀이다. 아, 여기에 적었으니 비밀이 아니게 되었나?

　재미없는 이야기가 이어지리라 생각한다면, 정답이다. 하지만 부디 참고 견뎌
주길 바란다. 나는 소설가가 아닐뿐더러 그저 평범한 회사원이었으니까. 보
고서 형식으로 쓰지 않는 것에 대해 칭찬해 줬으면 좋겠다. 뻔뻔하다고?
하하. 미안하다. 나름 머리를 굴려서 생각한 게 편지 쓰는 형식이니까. 미안하
지만 참아줬으면 한다. 정말로, 여러 일들이 있었다. 그 시행착오가 얼마나
더 있었는지 여기에 쓰지 않겠지만 우리는 환경부채를 없애기 위해 노력했다
는 걸 알아줬으면 한다.

　환경부채를 갚는 건 정말 어려웠다. 차라리 미래-후손이 오기 전 환경보
호를 위해 노력하는 게 더 쉬울 정도였다. 왜냐하면 적어도 그때는 우리의
발전된 기술이 있었으니까. 아무것도 없이 하는 과정은 정말로 힘들었다. 아
무리 내가 움직이고 천천히 나아가는 게 보여도 앞자리가 바뀌기는 하는 건
지 의심할 정도로 변함이 없었다. 절망감에 빠져서 자리에 주저앉아 3일 정도
를 가만히 있었다. 나는 열심히 노력해도 0이 되지 않는 숫자에 지쳤다. 그날
은 참 하늘이 맑았었다. 한숨을 쉬고 있는 나를 빤히 보던 친구가 '정말 빚
을 다 갚을 수 있을까?'라고 물어보았다. 그 물음에 나는 처음에는 가능
하다고 생각했는데 이렇게 지지부진하니 확신할 수 없다고 넋두리했다. 내가
그 말을 하면서 한숨을 쉬자 친구는 불퉁한 목소리로 속삭였다.

　"……그 계약이라는 거 사실 없는 거 아닐까?"

그 말에 경악한 나머지 몽롱한 머릿속이 얼음물을 부은 것처럼 확 깨어났다. 친구는 그런 나를 눈치채지 못하고 계속 말했다. 우리는 미래-후손이 말한 내용만 알고 있으니, 그들이 사기를 쳤어도 모른다는 말이었다. 나는 놀라서 주변을 살펴보았다. 미래-후손이 혹여 들었다가 내 친구를 잡아가 개조할까 봐 걱정돼었기 때문이다. 친구에게 진심이냐고 물었을 때 차마 크게 소리치지 못한 것은 친구를 위해서였다. 미래-후손은 나에게 있어서 그저 알 수 없는 무서운 외계인이었다. 그래서 어디서 튀어나올지 몰라 벌렁거리는 심장을 부여잡고 눈을 데굴데굴 굴렸다.

친구는 콧방귀를 뀌고 평소처럼 적당한 크기로 말했다. 미래-후손은 우리를 회사에서 화장실 청소하는 사람을 신경 쓰지 않듯이, 아니, 게임 속 유닛이 무슨 대화를 하는지 관심이 없는 것과 같다고 했다. 믿을 수가 없었다. 친구의 멱살을 잡고 어떻게 그 사실을 아냐고 캐물었다. 친구는 목이 아프다며 손을 놓으라고 손등을 툭툭 쳤다. 그 녀석의 표정은 이 모든 일이 일어나기 전과 비슷했다. 그 모습에 놀라 손에서 힘이 저절로 풀렸다. 녀석이 그렇게 웃는 모습은 오랜만이었다. 그동안 녀석은 능숙하게 무리를 휘젓고 편을 만들었다. 그리고 그 과정에서 녀석의 표정은 내가 알던 친구와 달랐다. 친구였었지만 더는 친구라고 보기 힘들 정도로 나와 녀석 사이에 거리가 벌어졌다. 나는 겁쟁이라서 멀어져가는 녀석의 발자국을 지켜만 보았다. 친구가 아니니 이 무리에서 나가라는 말을 들을까 봐 무서웠다. 멀어져도 나와 녀석은 친구라면서 중얼거렸다. 친구가 그럴 인물이 아닌데도 멋대로 상상하고 겁먹은 멍청이였다.

친구는 눈동자를 뒤룩뒤룩 굴리는 날 보더니 개구쟁이처럼 씩 웃었다. 녀석은 어릴 때 우리끼리 장난을 쳤을 때처럼 귓가에 대고 들으면 돌아갈 수 없다고 속삭였다. 그 얼굴이 생기가 넘쳐서 나도 모르게 고개를 끄덕였다. 제대로 생각도 하지 못하고 고개를 끄덕인 건 친구를 향한 신뢰가 아주 조금이라도 남아있어서일지도 모른다. 아주 어릴 적부터 같은 동네에서 살고 둘이 만든 많은 추억이 있었으니까. 뭐, 그때는 나나 녀석이나 둘 다 말썽꾸러기였다. 자라면서 그 성향이 줄어들었다고 생각했는데 녀석의 얼굴을 보니 꼭 그런 건 아닌듯했다. 무엇보다 이 녀석 외에 내가 믿을 수 있는 이는 없었다. 이 녀석조차 믿지 못한다면 나는 이 망가진 세상에 혼자 방치된 거나 마찬가지였다.

친구는 나의 손을 잡고 그대로 이끌었다. 처음에는 옆 마을로 가는 건가 생각했다. 그러나 녀석이 가는 길은 전혀 달랐다. 옆 마을도 근처에 있는 강가도 아닌 처음 보는 길이었다. 아스팔트로 가득했던 길 끝이 흙으로 변하고 이내 바위까지 듬성듬성 보이기 시작했다. 근처에 산이 있다고 들었지만 이렇게 가보는 건 처음이라 고개를 두리번거렸다. 친구는 그 모습을 보더니 웃긴다면서 비웃었다. 놈에게 이단옆차기를 날려주는 건 참으로 오랜만이었다. 맞은 종아리가 아픈지 한참을 구부리고 부들거리던 녀석은 날 죽여버리겠다고 으르렁거렸다. 길도 모르는 산, 아니 어쩌면 숲일지도 모르는 곳에서 녀석을 피해 도망쳤다. 어쩌면 그건 녀석의 계획이었을지도 모른다. 이곳으로 오는 길을 내가 기억하지 못하도록 말이다.

한참을 도망치다가 친구가 멈추라면서 돌을 던졌다. 역시 성질머리는 아직 죽지 않았다. 옆으로 지나가는 돌을 힐끗 보며 발걸음을 멈췄다. 친구는 나에게 달려와 뒤통수를 한 대 쳤다. 온 힘으로 때렸는지 맞는 소리가 숲을 울렸다. 망할…… 미안하다. 이런 건 당신에게 도움이 되는 게 아닌데 적을 뻔했다. 지금 생각해도 뒤통수가 얼얼하게 아파지는 기분이라 조금 격해진 모양이다.

그러니까, 어떻게 됐더라. 아, 기억났다. 녀석은 나를 이끌고 한 나무로 데려갔다. 거대한 나무는 하늘을 가릴 정도로 높고 넓어서 놀라웠다. 그 모습을 보고 자연의 경이를 느꼈다. 친구는 그 나무의 뿌리 쪽에 있는 틈을 보여줬다. 성인도 들어갈 수 있을 정도로 컸지만 인위적으로 만든 틈은 아니었다. 오래전 나무가 갈라져서 저절로 생긴 것처럼 보이는 구멍이었다. 구멍으로 들어가자 어둠 사이에 있는 문이 보였다. 놀라서 밖으로 다시 나가려는 순간 친구가 나를 문 안으로 들어가도록 억지로 구겨 넣었다. 문 바로 아래에 있는 계단에 넘어져 굴러갈 뻔했지만 친구가 어깨를 붙잡은 덕에 무사했다. 병 주고 약 주고도 아니고…….

계단을 내려가자 빛이 폭발적으로 증가하면서 눈앞이 부셨다. 눈을 찡그리고 앞을 바라보자 넓은 공간에 많은 이들이 이리저리 왔다 갔다 움직였다. 친구는 놀란 내 얼굴을 감상하더니 장난에 성공한 아이처럼 저항 세력에 온 것을 환영한다고 말했다. 친구의 말에 의하면 저항 세력이 개조되는 그 영상 이후로 이렇게 숨어서 활동한다고 했다. 그들은 미래-후손의 눈을 피해 기술을 사용하는 법을 배운 듯했다. 아니면 새로운 기술을 개발했거나.

그들은 거대한 통로에 존재하는 여러 포탈을 타고 다른 곳으로 이동하고 있었다. 친구의 말에 따르면 행성 여기저기 퍼져있는 저항 세력의 구역으로 바로 이동할 수 있는 포탈이라고 한다. 우리는 계단에서 내려오는 순간 바로 중앙구역으로 이동되는 방식이었다. 이런 기술이 있다면 왜 이들은 싸우지 않는 걸까. 의문을 품었지만 차마 입 밖으로 내밀 수 없었다. 오래전 그들을 비웃었던 내가 떠올랐기 때문이다.

친구는 내 상태를 모르고 이 기술은 미래-후손의 것과 섞여서 그들이 눈치챌 수 없다고 했다. 다만 공격적인 건 만들 수 없다며 아쉬운지 한숨을 내쉬었다. 미래-후손이 발전한 건 환경에 사용할 수 있는 기술이지 공격적인 기술은 발전이 더디기에 함부로 전쟁을 위한 무기를 만들 수 없었다. 그럼 어떻게 우리가 공격하기도 전에 전부 틀어막은 걸까. 이에 의문을 표하자 그건 이들도 아직 찾지 못했다고 친구는 이글이글 불타는 눈으로 천장을 보았다. 녀석의 눈에는 아마도 미래-후손이 보이는 게 틀림없겠지.

저항 세력의 목적은 내가 기억하기로는 미래-후손을 이 행성에서 쫓아내 버리는 것이다. 그런데 그게 나와 무슨 상관이기에 친구가 왜 데려온 걸까. 나는 이들과 달리 이기적이고 못나서 내 삶 하나만 보전할 수 있으면 충분했다.

"네가 그들을 쫓아내는 것에 관심이 없는 건 알고 있어. 하지만. 우리가 쫓아내면 너도 채무자가 아니게 될 거야. 줄어들지 않는 환경부채도 없어질 테니까."

그 말은 자유나 미래-후손이나 환경이나 다 신경 쓰지 않고 예전처럼 살고 싶다는 내 욕망을 건드렸다. 비웃고 깎아내리던 저항 세력에 나는 들어갔다. 들어가고서 알게 되었는데 우리 무리의 절반이 이미 저항 세력이었다. 맙소사. 되게 놀랐지만 이후의 일은 당신에게 중요한 건 아녀서 많이 생략하겠다.

우리가 어떻게 자료를 모으고 그 와중에 환경을 얼마나 복구했는지가 궁금할 리 없을 테니까. 설사 궁금하더라도 우리 행성의 환경이 당신이 살고 있는 행성의 환경과 다를 터이니 그런 정보를 적어도 쓸모도 없을 것이다.

이 사이에 있던 일은 간추리겠다. 다시 읽으니 생략한다는 말을 자주 쓰는 것 같다. 하긴, 60년 정도 되는 삶을 여기에 욱여넣고 있으니 어쩔 수 없는 일이다. 이번에도 양해해줬으면 한다.

나는 바로 저항 세력에 들어가지 못했다. 당연하다. 내 친구가 아무리 이곳에 속한 자여도 어떤 자인지 알고 허락하겠는가. 그들의 신뢰를 얻기 위해 했던 고생은 말도 못 할 정도다. 내 생에 등산은 절대 없다고 생각했는데 얼음으로 뒤덮인 설산에서 잠든 씨앗을 구해오는 일. 바닷속에 있는 수온을 확인하거나 오염된 물을 정수하는 지식을 지닌 이를 설득하는 등 꽤 많은 임무를 했다. 일을 하면서 힘들면 친구의 정강이를 찼다. 안 그랬으면 스트레스로 거품을 물었을지도 모른다.

겨우 저항 세력에 들어간 나는 미래-후손으로 잠입하게 되었다. 이번 일은 처음 미래-후손이 왔을 때 행성 주민에게 말했던 대출 계약에 관한 서류를 찾는 것이다. 서류가 전부 사라지면 그들이 지닌 권리는 없어진다. 그래서 저항 세력은 매번 잠입해서 해당 서류를 찾는 작업을 계속했는데 요번에 세력에 들어오게 된 나에게도 해당 일이 주어진 것이다. 들키면 어쩌나 온갖 걱정을 하면서 친구를 털었더니 감옥으로 가서 개조를 기다리게 된단다. 입을 다물지 못하고 굳어버렸다. 그러자 이쪽에서도 미래-후손이 다른 행성으로 가는 날 감옥에서 동지들을 빼 오니 잡혀도 걱정하지 않아도 된다고 했다. 어디에서 안심해도 되는지 전혀 모르겠다. 침을 꼴깍꼴깍 삼키면서 그들이 이번에 새로 알아 온 통로를 통해 미래-후손이 있는 곳으로 갔다.

처음 도착한 그곳은 신기했다. 우리처럼 매끈한 바닥이 아니었고 온통 곡선과 자연적인 형태로 이루어져 있었다. 벽에는 담쟁이가 가득하고 복도 바닥에는 풀과 꽃이 흔들렸다. 그들이 자연에 관한 기술이 뛰어나다고 이야기는 들었지만 이런식으로 자신들이 사는 공간을 꾸밀 수 있을 줄은 상상도 못 했다. 고작해야 식물을 개량하거나 아직 우리가 알지 못하는 약이 되는 식물을 알아내는 수준으로 착각했다. 그럴 리 없지. 행성에 환경을 대출해 주는 이들이 그저 그런 기술력을 지녔을 리 없다. 내부를 돌아다니면서 그들이 지닌 기술에 감탄하고 우리 행성에 이런 공간을 만든 것에 놀라워했다. 심지어 이곳에 잠입하기 전 듣기로는 이미 사막화가 진행된 곳이었다. 그런데도 이렇게 생생한 식물을 볼 수 있다니. 과연 행성 환경 대출기구다웠다.

계약서가 어디에 있을지 찾는 건 어려웠다. 문 앞에 표찰이 없어서. 아니 있었지만 우리가 발견하지 못해서 모른 걸 수도 있다. 아무튼 서류를 찾기 위해 있을 만한 곳은 전부 들어갔다. 안 들키게 조심은 했지만 이곳이 미래-후손의 구역이라서 긴장했다. 심장이 뛰는 소리가 전력 질주를 했을 때와 똑같이 빠르게 뛰었다. 그 과정에서 나는 왜 미래-후손이 채무자를 필요로 하는지 알게 되었다.

　그들의 에너지는 자연에서 얻을 수 있는 게 아니었다. 아니, 있지만 지나치게 미미해서 쓸모가 없었다. 미래-후손은 살아있는 고등 생명체가 목적을 위해 움직이면서 발생하는 특수한 에너지가 필요했다. 그들이 채무자로부터 얻을 수 있는 에너지는 총 세 개. 영혼 에너지, 활동 에너지, 감정 에너지. 그저 움직이기만 하면 에너지가 생기지 않는다. 반드시 목적을 향한 생각과 그 과정에서 나오는 활동적인 움직임에서만 에너지가 생긴다. 그들은 에너지를 계속 얻기 위해 환경부채라는 목적을 주고 우리가 빚을 갚기 위해 움직이기를 원했다. 영혼 에너지는 한번 추출이 끝나면 지속해서 얻기가 힘드니까. 그들이 굳이 행성에 환경을 대출하는 이유는 이것이었다. 행성에 적절한 환경을 준다면 에너지를 만드는 생명체가 탄생할 테니까. 그리고 그들이 어떻게 우리를 빠르게 제압했는지 알게 되었다.

　'에너지 채취 실패 보고서'라는 제목을 보자마자 계약 서류가 아니라는 걸 알았다. 그들에게 있어 우리는 그저 에너지원에 불과했다. 보고서를 대충 훑어보니 우리 말고도 다른 행성에 대출해 줬다가 전쟁이 일어난 모양이다. 극초기에는 계약만 있으면 채무자가 복종할 거라 착각한 모양이다. 당황스러운 그들의 심정이 보고서에 담겨있었다. 계약을 이행시키기 위한 과정에서 채무자를 제압하는 기술이 발전했고 이제는 여러 방식으로 제압하는 방법이 생겼다. 보고서를 읽을 때마다 미래-후손의 세력이 얼마나 크고 오래되었는지 느꼈다. 점점 절망스러워졌다. 이런 이들을 우리가 과연 내쫓을 수 있을까.

마침내 친구가 계약서를 발견했다. 이제 이곳에서 탈출해야 한다. 나는 읽고 있던 보고서를 쑤시듯이 집어넣고 빨리 도망치려는 순간 나는 하나의 책을 발견했다.

이 책이 무엇인지 제대로 이해하지는 못했지만 나는 그걸 숨겼다. 이걸 가지고 나가면 우리에게 도움이 될 거다. 그런 직감이 들었다. 방에서 나와 우리가 들어왔던 곳으로 갔다. 다행히 나는 잡히지는 않았다. 하지만, 내 친구는 돌아오지 못했다. 녀석은 미래-후손에게 잡힌 걸까. 저항 세력에 돌아온 나는 내가 가지고 온 책을 건네주었다. 우주법전이라고 적혀 있으니 어쩌면 우리가 채무자에서 벗어날 수 있는 법이 있을지도 모른다. 저항 세력이 그 법을 찾으면 미래-후손을 내쫓을 수 있다고 약간이나 희망에 찼다.

나는 나무 구멍에서 나왔다. 오래전 친구가 알려준 길이었다. 들어갈 때는 둘이었지만 나올 때는 나뿐이었다. 그게 어찌나 슬프던지. 채무자가 된 이후 보지 않았던 하늘을 보았다. 캄캄한 하늘에 수 놓인 별을 보며 나는 책임감을 느꼈다. 우리 같은 행성이 더 있을지도 모른다. 어쩌면 다가오는 지옥을 모른 채 환경이 영원하리라 생각하면서 지내는 행성도 있을 수 있다. 그래서 나는 이 글을 적기로 했다. 당신에게 도움이 될지 혹은 거짓말로 치부될지 나는 모른다. 하지만 기억해 줬으면 한다. 당신 자신이 채무자가 되지 않도록 환경을 지켜야 한다.

나는 당신이 알게 될 문장이 그들의 것이 아닌 내가 적은 것이길 바란다.

모든 글을 적고 나는 한숨을 내쉬었다. 과연 이게 도움이 될지 모르 겠다. 머뭇거리며 글을 다시 한번 보다가 이내 입술을 깨물었다. 준비 해 두었던 캡슐을 글을 넣고 조심스럽게 밖으로 나갔다. 나는 캡슐 사 출기를 마당에 놓고 캡슐을 설치했다. 그리고 우주로 사출했다. 캡슐 은 막아내는 것 하나 없는 공중을 향해 날아갔다. 내가 할 수 있는 건 다 했다. 부디 저것이 누군가에게 희망이 되기를 바랄 뿐이다. 이미 사 라졌지만 캡슐의 뒤꽁무니가 있었던 곳을 계속 바라보았다.

　캡슐은 끝없이 펼쳐진 별의 바다를 떠돌아다닌다. 악마의 선언을 듣지 못한 행성을 찾아 고요히 흘러간다. 언젠가 자신을 열고 만나게 될 주민을 꿈꾸면서…….

　"만나서 반갑습니다. 행성 주민 여러분."

사랑이라는 이름의 일탈

김성원

김성원

달콤한체리
좋아하는 건 뭐든지 해본다는 마음으로
하루하루 살아가는 라이트워커다.

그 날은 우리가 하나된 날이다. 그것도 법적으로.

사랑의 완성은 결혼이라고 했던가?

우리는 1년 8개월 간의 멈추지 않는 롤러코스터를 타다가 드디어 내릴 수 있었다. 난폭한 속도로, 때로는 지루할 정도로 느렸던 그 열차는 양쪽 모두 두손두발 다 들었을 때야 비로소 내리는 문을 열어주었다.

난리부르스를 친 과정에 비해 결혼이라는 결과는 생각보다 간단했다. 화요일 아침, 우리는 살짝 긴장된 마음으로 서초동 주민센터로 향했다. 들어가자마자 문앞에 있던 직원은 무슨 업무를 하러 왔는지 물어보고, 내 남자는

'혼인신고'라고 대답했다.

우리는 화면 오른쪽을 클릭 후 번호표를 뽑고 차례를 기다렸다. 대기 시간 동안 혼인신고서 양식을 보며 차근차근 채워나갔다. 한자 이름을 써 본지가 얼마나 되었더라? 마지막으로 손글씨를 써본 적은 언

제였지?

　부모님 몰래, 일탈을 저지르면서도 주제와 관계없는 아날로그적인 생각들이 올라왔다. 이윽고 동그란 안경 낀 여자분이 번호를 호명했고 우리는 자리에 앉았다. 서류를 제출하고 기다리라는 말과 함께 직원이 키보드로 타이핑 하는 소리가 들렸다.
　'혼인신고 접수 후 취소 불가, 접수 후 1주일 이내 서류 반영'이라는 경고보다 각자 부모님께 말하지 않고 진행하는 지금 이 순간이 더 무거웠다.

　5분 정도 시간이 흘렀나? 직원은 혼인신고 접수가 완료됐다고 했다.
　이제 법적으로 부부가 되었으니 신혼부부 포토존에서 기념사진도 찍으라고 말한다. 이렇게나 쉬웠다니.

　청춘의 과제를 해결했다는 마음과 부모님과 지인들에게 비밀이 생겼다는 마음, 홀가분하지만 홀가분하지 않은 이 상태가 미묘하게 다가왔다.
　어떻게 보면 나나 특히 남편은, 사회에서 말하는 제도권 안에서 성장한, 속된 말로 부모님 속 썩이지 않고 자란 아들, 딸에 속한다.

　나도 이렇게 두근거리고 떨리는데, 그보다 더 사회적 모범생인 오빠는 지금 어떤 마음일까? 상대방의 상태가 궁금했지만 굳이 물어보지 않았다. 혼인신고를 마친 날 우리는 우리 나름대로의 계획을 세웠다. 앞으로 양가 부모님께 어떻게 결혼 승낙을 받고, 허락을 하지 않으실 때 플랜 비까지 이야기를 하며 공동 범죄를 공모했다. 오늘 일탈의 계기로 우리 커플에게 또하나의 결속력이 생긴 것이다.

연애를 하다 보면 상대방의 속 마음이 궁금할 때도 많고, 같은 마음일지, 그리고 날 진심으로 사랑하는지 알아보고 싶은 마음이 든다.

상대방이 내게 투자하는 시간과 돈을 보라, 말은 보지 말고 행동만 확인해라 등 여러가지 말이 많지만, 나는 '일탈'이라는 키워드를 말하고 싶다.

진짜 사랑을 하면 제정신이 아니게 되고, 상대방만 옆에 있다면 평소 내가 아닌 내가 되어 안하게 되는 일도 할 수 있게 된다. 함께 있으면 시공간에 대한 감각이 없어지는 것 같다.

상대방과 함께 일탈을 해 본적이 있는가? 당신과 함께 있으면 상대방이 평소보다 일탈하려는 성향이 생기는가? 아니면 본인이 그 순간에 바뀌어 재밌는, 일탈적인 생각이 나거나 초인적인 힘 등이 발휘되는가?

하나라도 맞다면 축하한다. 당신은 사랑을 경험한 것이다.

만약 경험하지 못 했다면? 그것도 축하한다.

닭이 먼저냐, 계란이 먼저냐?라는 논제처럼 이것도 비슷하다. 이를 이용하자면, 사랑에 빠지고 싶은 상대와 일탈을 해보는 것이다.

평일에 갑자기 휴가쓰고 짜릿한 드라이브하기, 겁많은 두 사람이 번지점프 해보기, 40대인 상태에서 교복입고 데이트해보기, 지도를 사용하지 않고 낯선 곳을 탐방하기, 아니면 본인처럼 아무에게도 말하지 않고 혼인신고하기? (농담)

사랑이 생길 수 있는 재밌는 경험을 만들어보는건 어떨까? 상황은 언제나 만들면 되는 것이니까.

사실, 어떻게 보면 지금까지도 비밀인 경험을 털어놓는 이유는 단 하나다.

사랑이라는 관점에서 일탈의 긍정성을 부각시키고 싶었다.

적어도 살아가면서 단 하루라도 짜릿하거나, 역사적인 사랑의 경험을 해본다면 인생에 오래도록 남을 것이고, 그 기억으로 살아가면서 권태에 속박당하지 않기를 바라는 마음이다.

정말 진부한 말이지만,

우리의 인생은 너무나 소중하니까.

나의 모양

김동희

김동희   삶은 매 순간 사랑의 연속이다.
         그 순간들이 쌓여 만든 '나'의 이야기.

         instagram: @dongheeee_ee

꿈

'꿈'이라는 단어를 참 좋아합니다.

듣고 보기만 해도 가슴이 벅차오릅니다. 나이에 국한되지 않고 언제든지 꾸고 도전할 수 있잖아요.

저는 꿈이 많았고, 지금도 참 많습니다.

어릴 때부터 제 꿈은 뮤지컬 배우, 가수, 선생님, 사랑꾼이었습니다.

그래서 작사 작곡도 하고 직접 노래도 불러 앨범도 내고요, 공연도 하고 또 가르치기도 합니다.

꿈에 대해서 생각하다가 멈칫하게 됩니다.

과연 내가 '사랑꾼'일까.

제가 만난 어떤 이가 이 글을 본다면 고개를 끄덕일 수도, 콧방귀를 뀔 수도 있겠지요. 요새 저에게 누군가 꿈을 물어볼 때면 단어보다 문장으로 대답합니다.

제 꿈은 '건강하고 후회 없이 맘껏 사랑을 주고받기입니다.'라고.

틀

"MBTI가 어떻게 되세요?"

MBTI 붐이 지난 지 꽤 됐는데도 아직 대다수의 사람들은 어떤 이를 처음 보거나 알아가는 과정일 때 묻곤 한다. 혈액형도 무슨 1+1처럼 묶여서 오기도 하고.

사실 이 질문 자체가 불편하지 않고 흥미롭기도 하다. 나도 어떤 이들을 더 이해하고 싶을 때 참고용으로 물어보기도 하니깐.

나를 불편하게 하는 순간들은 마치 MBTI가 '나'를 온전히 나타낸다고 생각하는 'MBTI 맹신론자들'과의 대화이다. 그들에게 ENTP 라고 말하는 순간, 나는 구애와 집착 받기 싫어하고 세상은 내 중심적으로 돌아가며 공감 능력은 현저히 낮은 사람이 되어버린다.

물론 오랜 연구로 결과를 냈으니 비슷한 부분도 있는 것 같다. 예를 들어 '자기애가 강하다거나 주관이 뚜렷하다거나 항상 새로운 것들 추구한다.' 이런 것들이다. 하지만 때에 따라 다를 것이고 이런 성향들이 절대적이라고는 생각하지 않는다.

MBTI 맹신론자들과 대화를 할 때 받는 감정은 마치 첫인상으로 타인의 성격을 추론하거나 결과를 지어버릴 때와 비슷하다.

이목구비가 뚜렷하고 차가운 이미지인 '나'는 학창 시절 첫 학년 첫 등교 날이면 친구들에게 먼저 다가가는 편이 되어야 했다. 나의 첫 이미지는 세고 놀 것 같고 아무 말도 없이 가만히 앉아 있으면 선뜻 말 걸기 무서운 것이라고 했다. 그래서인지 '친해지면 달라지는 애' 수식어가 늘 따라붙었었다. 친구들뿐만 아니라 처음 보는 교사들도 마찬가지였다. 나는 앞자리 쪽에 앉고 싶었는데 자연스럽게 뒷자리로 배정해줄 때나 내가 착실한 친구들과 친하게 지낼 때 의아하다는 표정들 등이 있었다.

오랜 시간을 함께 보낸 가족, 애인, 친구도 온전히 서로에 대해 알기 어려운데 단지 MBTI나 이미지만으로 타인을 어떠한 틀로 규정지을 수 있을까.

향기

계절마다 특유의 향이 있다. 봄에는 라벤더 향이 나고 여름에는 페퍼민트 향이 난다. 또 가을에는 캐러멜 마키아토 향이 나며 겨울에는 고소한 카페라테 향이 난다. 계절과 마찬가지로 나는 사람들에게서 다양한 향들을 맡곤 한다.

나는 잔잔하고 평온한 풀 내음을 좋아한다.

그에게서는 봄 풀 내음이 났다.

그 풀 내음을 맡았던 그 순간

한동안 나는 풀 내음을 제외한 어떠한 향도 맡지 못하게 되었다.

달리기

언제였던가 그가 10km 마라톤을 신청했다며 잔뜩 신이나 나에게 말을 건넸다. 그는 자주 뛰러 나갔었고 책꽂이에는 러닝 책이 수두룩했기에 나에게 그리 놀랄만한 말은 아니었다.

"뛰는 게 왜 좋아?"

유산소 운동과 친하지 않았던, 심지어 근력 운동의 중요성을 강력히 외치던 나는 그가 왜 이리도 달리기를 좋아하는지 궁금했고, 이해하고 싶어 물었던 적이 있다. 보통 차분하고 담담한 어투로 말하는 그가 한껏 들뜬 표정과 빠른 템포의 말로 나에게 이유를 건넸다.

"달릴 때면 보통 아무 생각이 안 나, 그리고 너무 힘들어서 고통의 순간들이 있는데 그 순간이 지나면 가장 편안한 상태가 되거든."

나는 한동안 웃으며 그를 바라보았다.

그때부터였던가, 제대로 달려본 적도 없는 내가 달리기를 좋아하게 된 게.

달리는 건 너무 좋지만, 한편으로는 지구력이 부족한 나에게 힘든 도전이었다. 처음에는 3분도 뛰지 못했다. 심장을 부여잡고 헉헉거리는 나에게 다가와 그는 담담하게 말했었다.

"처음부터 너무 빨리 뛰면 안 돼, 페이스 조절하면서 숨도 코로 여유 있게 쉬어봐."

그래 맞다. 내가 의욕이 앞서서 무리하게 속도를 높이며 지쳐 떨어진 것이다. 페이스 조절을 해야 한다는 그의 말에 동의하지만 나는 숨을 헐떡이며 말했다.

"내가 알아서 할게. 먼저 가도 돼."

그는 알겠다며 혼자 뛰어갔다. 나는 그 자리에 멈춰 그의 모습이 사라질 때까지 쳐다보고 있었다. 처음 뛰는 내게 페이스를 잡아주면서 같이 뛰어줬으면 좋았을 텐데, 평소 자신의 페이스를 유지하는 그가 얄미웠다. 그 뒤로부터는 혼자 천천히도 뛰어보고 빠르게도 걸어보고 나만의 페이스를 찾으려 노력했다.

'달릴 때 아무 생각이 안 든다.'는 그의 말에 완벽하게 공감한다. 달리기는 다른 생각 따위는 들게 하지 않는다. 오직 '아.. 너무 힘들어,

멈출까.' 이 생각만을 허락한다. 하지만 괴로운 순간을 견디며 완주했을 때는 엄청난 성취감과 즐거움이 파도처럼 내게 밀려온다.

　　너무 힘들지만 나는 달리기가 좋다.

　　나에게 달리기란 쓰고 떫으며 달콤하다.

너는 무던히 내게 말했지

덜 섬세해도 좋으니 덜 예민했으면 좋겠다고.

그런 거야?

마음을 꾹꾹 눌러 담아 건넨 쪽지.

홧김에 버려버리면 이해해야 하는 거야?

그런 거야?

고슴도치

"동희야 너는 고슴도치 같아"

갑자기 뜬금없이 그가 말했다. 이유를 물었지만, 자세하게 말해주지 않아 입이 툭 튀어나온 채로 고슴도치의 특징을 검색해 본 적이 있다.

고슴도치의 특징은 예민하고 겁이 많다고 한다. 공격하려고 가시를 세우는 것이 아니라 위협을 느꼈을 때 몸을 웅크려 상대적으로 본인의 약한 얼굴과 배 부분을 감추며 가시를 세워 상대가 자신을 함부로 건드리지 못하도록 방어한다고 한다.

저 위에 설명으로는 부족해서 검색을 멈추고 고슴도치를 키웠던 친구에게 연락했었다. 친구는 고슴도치는 귀엽고 사랑스럽지만, 항상 긴장을 놓쳐서는 안 된다고 했다. 이유는 기분이 좋을 때는 가시를 세우지 않고 애교를 피우다가 혼자 갑자기 가시를 세워 따갑고 놀라게 한다는 것이었다. 또 흥미로운 특징은 목욕할 때는 가시를 세우지 못하고 무장해제가 된다는 것이었다. 물이 닿으면 신체적으로 가시를 세우지 못하는 건지 아니면 기분이 좋아져서 가시를 세우지 않는 것인지 궁금했지만 검색해 보아도 정확한 정보는 나오지 않았다. 그저 고슴도치를 키웠던 사람들의 경험담만이 있었다.

'물에서 대부분의 고슴도치는 가시를 세우지 못하는구나..'

나에게 고슴도치 같다는 그의 말에 부정할 수 없었다. 오히려 맞는다고 생각한다. 지금에서야 그에게 한 가지 질문을 던져보고 싶다.

그래서 '너는 물의 성질이냐고, 아니면 물이 되고 싶긴 했었냐고.'

신호등

운전하다가 보면 가끔 사랑의 신호등도 있었으면 좋겠다고 생각한다.

신호등을 따라서 안전하게 서로에게 가면 좋을 텐데.

교집합

누군가가 나에게 사랑의 모양에 관해 물어본다면 나는 주저 없이 '두 개의 원이 겹친 모양'을 말할 것이다.

서로 고유의 영역은 유지하되 공통의 영역을 채워나가는 어려운 그 모양.

모양대로

어릴 때는 동그라미가 되고 싶었다. 모난 곳 없이 둥글둥글해서 잘 굴러갔으면 좋겠다고 생각했다.

하지만 돌이켜 생각해 보니 어떤 모양이든 자기 형태대로 잘 굴러갈 수 있었다.

우리는 모두 자기 모양대로 어떻게든 잘 굴러가면 되는 것이다.

나의 공개 일기장을 읽어주신 모든 분과 책을 쓰게 만든 당신께 감사드립니다.

그리고 우리 가족 엄마 아빠 오빠 언니 사랑스러운 조카 우리 윤우 건강하고 행복하자.

이루다

현 웅

현 웅

글들이 언젠가 나를 지지해 주리라 믿는 사람

좋은 날씨처럼 주변에 좋은 영향을 주고 싶은 사람

이러한 사람이라고 나를 이야기 하는 사람

instagram: @nntba_star

1. 이루라는 남자

'김이루다'

그의 이름이다. 아버지가 지어준 이 이름은 무엇이든 이루면 좋겠다는 뜻을 따온 것이라고 한다. 주변 이들은 대부분 '이루'라고만 부른다. 그저 부르기 편하다는 이유 하나뿐이었다. 이제는 가족, 친구, 동료 의사 그리고 환자들까지 그를 그렇게 부르게 됐고. 이루 또한 너무나 친숙해진 그 별명을 좋아했다. 그는 매일 아침 몇 안 되는 초록색 삼각별 자동차를 휘날리며 출근하고, 환자와 직원들은 환한 미소와 함께 이루를 맞이한다. 그도 밝은 표정으로 살가운 인사를 한다. 그 덕분인지 병원 내 분위기는 밝고 따뜻하다. 또 그는 아침마다 초록별 커피한 잔을 마시는 루틴이 있다. 이 한 잔은 그의 하루를 버티게 해주는 원천과 에너지이다. 초록별 컵을 들고 동료들과 함께 하루 일정을 계획한다. 초록별 컵을 들고 환자들을 위한 새로운 치료 방법도 고민한다. 이렇게 보니 유난히 녹색을 좋아하는 이루. 그래서 의사가 되었는지 모르겠다. 수술복이 마음에 들었다든지. 물론 정답은 이루다 교수만 알 것이다.

서울에 위치한 리아 대학병원은 그의 성장 무대였다. 흉부외과 교수로 임용된 지 얼마 안 됐지만 명성은 놀라울 정도로 빠르게 올라가고 있었다. 과장을 조금 보태서는 의료계의 신예 스타로 여겨지고 있다. 의미를 부여한다면 그것 또한 그가 '별'을 좋아하기 때문이지 않을까 싶은데, 유명세에 오르게 된 가장 큰 까닭은 '100차례 수술, 단 한 번의 실패 없는 의사 김이루다' 라는 기사가 나온 후였다. 임용된 후 그가 집도한 수술은 무려 103회. 그중 성공한 수술 횟수는 103회. 단 한 번의 실패가 없다는 말이다. 단순히 명성을 얻었다고 하기에는 턱이 없을 만큼 대단한 업적이었다. 또한 그의 전문성은 폐암 치료 분야에서 특히 독보적이었다. 103회 수술 중 절반 이상은 폐암 환자였기 때문이다.

한데 그런 그에게도 한 가지 고민이 있었다. *폐엽절제술은 여러 차례 수술 경험을 바탕으로 이해도와 완성도가 뛰어났지만, 한 번도 집도해본 적 없는 폐절제술이 문제였다. 그래서인지 그는 *전엽절제술이 요구되는 환자를 마주할 상황을 대비하여 매일 같이 가정해본다. '어떻게 하면 완벽한 수술이 될 수 있을까?' 오늘도 그런 생각을 하다가 어느새 잠든 이루였다.

'따르르르르릉…따르르르르릉…따르르르르릉…'

요란한 기상 알람 소리가 울려 퍼졌다.

"으아함"

하품과 동시에 기지개를 쭈욱 켜며 일어난 이루는 이불을 휙 박차고 평소처럼 빠르게 출근 준비를 마치고, 병원으로 향했다.

출근을 마친 그는 초록별 커피를 마시고 나서 중환자실에 들어섰다.

"안녕하세요. 아버님 지민이의 검사 결과를 보니, 다행히 수술은 가능할 것 같습니다."

이루의 말에 지민의 아버지는 차츰 표정이 밝아졌다.

"항암 치료에 반응을 보여서 암세포 크기가 줄었어요. 지민이가 잘 견딘 덕이죠. 수술은 폐엽 절제술로 암 종양이 번진 부위를 제거하는 수술입니다. 최선을 다해볼게요."

지민의 아버지 눈을 똑바로 바라보고 빙그레 웃으며 이루가 말했다.

그러자 지민의 아버지는 갑자기 이루의 손을 확 끌어당기며 힘이 풀린 것처럼 무릎을 꿇더니

"아이고 감사합니다. 감사합니다. 선생님을 만날 수 있었던 건 천운이고 정말 다행이에요. 감사합니다. 감사합니다."

하며 서럽게 눈물을 흘리며 연신 감사 인사를 전했다.

그도 그럴 것이 지민은 원래 다른 타 병원에서 암을 발견했는데 그 곳의 의사는 이렇게 말했다.

"수술은 안 될 것 같습니다. 최선으로 방사선치료와 항암 치료를 병행하는 방법이 있기는 한데 전이가 안된다는 보장도, 크기가 줄어들지 않을 수도 있습니다."

이 이야기를 듣고 포기할 수 없던 아버지는 지푸라기라도 잡는 심정으로 유명하다는 병원을 찾아 다녔고 천운이 따랐는지 리아 대학병원의 유명하다는 이루다 교수를 만날 수 있었다.

당황한 이루는 지민의 아버지를 일으켜 세우며
"아버님! 아니에요. 빨리 일어나셔요."
하고 포옹을 한번, 등을 토닥토닥 두드리며 달래준 뒤 중환자실을 떠났다.

지민의 아버지가 그녀의 곁으로 다가갔다. 그녀는 투병으로 앙상해진 얼굴에 커다란 산소마스크가 덮여져 마른 얼굴이 도드라졌다.

"지민이, 지민이 우리 딸! 너무 이쁜 지민이. 의사 선생님이 이제 안 아프게 해주신대. 너무나 다행이야……. 너무나!"

그는 연신 지민의 머리를 쓰다듬으며 한참을 울다가 웃었다 반복했다.

*폐엽절제술 [Lobectomy of the lung]

-폐의 한 개의 엽을 제거하는 수술. 위엽, 중간엽(우측), 아래엽 중 한 개의 엽을 수술로 제거한다.

*전엽절제술 [Pneumonectomy]

-한쪽의 폐를 절제하는 수술.

2. 타임 아웃

그날이 왔다. 지민이의 수술 날이.

이루는 아침부터 분주히 지민의 상태를 자세히 체크하였고, 수술 직전까지 마취과 의사와 간호사 등 여러 수술 의료진과 수술 과정을 논의했다. 이윽고 수술이 시작되었다.

이루가 말했다.

"2022년 10월 23일, 16시 20분. 이지민, 05년생. 폐엽 절제술을 시작합니다."

수술이 시작되자 모든 수술 의료진은 이루를 주목하며 쳐다보았고, 집도하는 그는 평소의 환하고 웃음이 넘치는 얼굴과는 아주 달리 냉담한 표정과 진지함으로 분위기가 달라졌다.

"20번 *메스."

이루가 차분한 목소리로 이야기하자 그의 오른손에 해부칼이 견고하게 쥐어졌다.

백색 형광등 아래에서 이루의 20번 메스는 마취된 지민의 피부와 근육을 절개했고, *복장뼈 사이를 들어가 좌측 *폐하엽 쪽으로 정확하게 접근하고 있었다.

"15번 메스"

더욱 정교한 메스로 바꾸고 이루는 미세한 조직들을 정확하게 절제했다. 이어서 혈관을 신중하게 이동시키는 등 정교한 기술로 미리 준비한 계획을 철저하게 따라가며 수술을 집도 중이었다.

그런데 갑자기 이루가 외쳤다.

"이게 뭐야! *타임아웃!"

폐하엽 쪽을 본 이루의 다급한 목소리가 울렸다. 수술실 안의 공기는 싸늘할 정도로 차가워졌다. 무거운 공기 탓일까? 모든 수술팀 의료진들은 다급히 활동을 중단하고 침묵을 유지했다.

"하... 미치겠네. 수술 전 마지막 타임아웃 체크 누가 했어!"

이루는 미간을 잔뜩 찌푸리며 큰 목소리로 소리쳤다. 그러자 의료진들 모두는 서로의 눈치만 보며 이내 고개를 떨궜다. 이루는 침착함을 유지하기로 다짐하고 한숨을 한번 내쉬더니 차분하게 말했다.

"하... 큰소리 질러서 죄송합니다. 여기보니 뜨문 뜨문 넓게 전이 되어있는데 이거 체크가 왜 안 되어 있을까요? 이 이야기는 나중에 하는 걸로 하고, 우선은 환자를 살리는 게 우리 목적이니까 지금부터라도 정신 바짝 차리고 해봅시다. 좌측 폐하부엽 절제 수술을 왼쪽 폐 제거 즉 전엽절제술로 변경합니다."

이에 의료진 모두가 각자의 위치로 이동해 수술을 재계 했다.

이루는 첫 전엽절제술이라는 압박감과 긴장감에 휘둘려 집중력을 잡아먹힐 뻔했지만, 점차 자신감이 붙기 시작했다.

이루는 집요하게 집도했다.
"마취 지금 잘 되어있는지 확인 부탁드려요."

또 집도했다.
"지금 모든 게 순조롭게 진행 중입니다. 절개 부위 점검 해주세요."

그리고 집도했다.
"여기에서 피가 흐르지 않게 잘 잡고 있어주세요. 지금이 제일 중요하니까 집중하세요"

알게 모르게 이루의 신중하고 정확한 집도는 점차 다른 의료진들의 긴장감마저 풀어주고 있었다.

이루가 손등으로 이마에 땀을 닦으며 이야기했다.
"조직들 봉합한 부분 전부 체크 부탁해요"

"전부 이상 없습니다."
수술 간호사가 대답했다.

"하…. 모두들 너무나 고생하셨습니다."

이루의 마지막 말로 수술은 종료되었다.

한편 수술실 밖에서는 지민의 아버지가 긴장하고 기다리고 있었다.

수술실에서 나온 이루는 수술 결과를 지민의 아버지에게 전해주었다.

"아버님, 예상시간보다 길어져 많이 걱정되셨을 텐데 지민이 수술은 잘 마무리되었습니다. 종양이 퍼져있던 폐엽을 보니 주변에 전이가 많이 되어있었습니다. 그래서 하는 수 없이 폐를 절제했습니다. 수술은 잘 된 거니까 걱정하지 마시구요. 앞으로 어떻게 해야 하는지는 조금 이따 간호사분이 알려드릴 겁니다."

그러자 지민의 아버지는 처음 만났을 때와 같이 이루의 손을 꼭 잡으며 눈물을 흘린 뒤, 이내 이루를 감싸 안았다. 그의 흐린 눈에서 감사하다는 감정이 가득했다.

이루 옆에 있던 간호사가 필요한 물품이 적힌 인쇄물을 전해주며 지민의 아버지에게 이야기했다.

"아버님 지민이는 오늘까지 중환자실에서 수술한 부위 상태를 체크하면서 안정을 취할 예정이고, 내일이나 모레쯤? 일반 병실로 옮겨질 예정입니다! 이건 병실에서 필요한 물품들이에요."

이루는 이 감동적인 순간에 성취감과 기쁨을 느끼며 밝은 얼굴로 지민의 아버지에게 꾸벅 인사를 하고 당직실로 향했다.

환복을 하고 당직실에 도착하자 이루는 긴장이 풀린 나머지 극도의 피로함이 몰려오면서 고개가 휘청휘청대더니 스르륵 잠에 들었다.

그렇게 이루가 잠든 지 10분이나 지났을까? 병원에서 방송이 나왔다.

[흉부외과 28병동 블루코드, 흉부외과 28병동 블루코드]

이루는 귀에 스쳐 들리는 방송을 듣다 흠칫 고개를 들더니 소름이 끼친 듯 급기야 벌떡 일어났고, 당직실 문을 박차고 중환자실로 뛰어갔다. 흉부외과 28병동은 지민이의 중환자실이었기 때문이었다.

'지민일까? 지민이 아닐까? 수술이 잘못됐나? 뭐가 문제였지?' 뛰어가는 동안 불안감 탓에 오만가지 걱정을 하며 달리는 그였다.

 중환자실 문 앞에 도착했을 때 이미 그 근처에 있던 여러 의료진이 *심폐소생술(CPR)을 시행 중이었다. 의료진 사이로 지민이 보였고, 순간 과도한 긴장과 불안이 그에게 스며들었다. 이루는 사이를 비집고 들어가 생기 없는 노란빛 피부로 점차 물들어가는 지민에게 심폐소생술을 연달아 시행했다.
 "하나, 둘, 셋, 쇼크(shock)!"

 *제세동기를 사용 후 가슴압박에 들어갔다.

 "넷, 다섯, 여섯, 일곱, 여덟..."

 그는 팔로 못을 박는 듯 강하게 가슴을 압박했다.

 "헉... 헉... 스물셋, 스물넷, 헉헉.."

 심폐소생술은 30분여간 무수히 반복 진행되었다. 그러나 간절한 그의 마음과는 달리 지민의 심장은 미동조차 없었고, 땀으로 온몸이 젖은 이루는 죄책감과 무력감으로 몸을 떨며 끝내 어쩔 수 없는 절차에 따라 사망선고를 내렸다.

그 옆에서 울분을 토하던 지민의 아버지는 이내 이루의 멱살을 잡았다.

　"야 내 딸 살려내! 수술 잘 됐다며! 건강해질 라거며! 야! 살려내! 제발... 살려내... 지민이 살려내! 어떻게든 해보란 말이야! "

　그는 처음 봤을 때와 아주 다른 사람이 되었다. 아까 전까지만 해도 새빨갛게 붉어져 있던 이루의 얼굴은 하얗게 질린 얼굴로 영혼 빠진 시체처럼 넋이 나간 채 멱살에 앞뒤로 끌려다녔다. 의료진들은 지민의 아버지를 말렸고 이루는 과도한 공포감과 어지러움에 그만 쓰러졌다.

*메스 [mes]

　-외과수술 ·해부에 사용하는 작은 칼. 수술용 메스는 수술도 또는 외과도(外科刀)라고도 한다.

*복장뼈 [sternum]

　-가슴 앞쪽 한가운데 위치한 세로로 길쭉하고 납작한 뼈.

*폐하엽 [肺下葉]

　-허파아래엽, 폐의 좌하엽과 우하엽.

*타임 아웃(time out)

　-환자의 안전을 위해 수술을 담당하는 의료진이 수술 전 환자의 신

원(이름과 등록번호), 수술 부위, 수술명을 확인하는 과정.

*심폐소생술 [cpr]
-심장의 박동과 호흡이 멎은 상태를 정상으로 회복시키는 처치 방법. 인공호흡과 체외 심장 마사지를 한다.

*제세동기[aed]
-심방이나 심실에 세동이 있는 경우 피부 표면에 부착된 전극을 통하여 심장에 전기 충격을 주어서 정상 리듬을 회복하거나 세동을 제거하는 데 사용되는 장치.

3. 트라우마

눈을 뜨자 익숙한 의료진들이 보고 있었고, 익숙한 천장이었다. 반쯤 일어나 주변을 둘러보니 아까 그 중환자실 침대였다.

눈을 뜨자 이루는 몸이 흔들리고 있었다. 정신을 차린 그의 눈엔 이쁘장한 여성이 보였는데 정신과 교수인 박여름 교수였다. 그녀는 중환자실 근처를 지나가다 블루코드 방송을 들었다. 이내 뛰어가 보니 이루다 교수는 멱살을 잡힌 채 휘청댔고 이내 쓰러진 것이다. 그녀가 말했다.

"정신이 좀 드세요? 큰일 난 줄 알았어요! 심인성 쇼크였나봐요. 휴... 다행이다. 당직실로 가서 조금 안정을 취하는게 좋겠어요.."

대충 상황 파악이 된 이루는 그저

"네..."

대답하곤 그녀의 부축을 받으며 당직실로 갔다. 그렇게 당직실에 도착하자마자 몸도 마음도 지쳐있던 그는 침대에 털썩 누워 잠에 들었다.

그렇게 몇분이 지났을까? 식은땀에 젖은 채 뒤척이던 그는 급기야

"죄송합니다... 죄송합니다..."

하며 잠꼬대를 하였다. 그렇다. 그는 악몽을 꾸고 있었다. 급작스럽게 이루가 희번덕 놀라 일어났다. 주위를 슥 둘러보니 조용하기만 한 당직실이었다. 땀에 젖은 것이 불쾌했는지 그는 세수를 하려 화장실로 향했다.

'어머 저분이잖아. 그 수술 저분 맞다니까?'

화장실로 향하는 도중 어디서 속닥거리는 소리가 들렸다. 이루는 소리가 들리는 쪽을 한번 쳐다보고 가던 길을 다시 밟았다. 이루가 쳐다보았을 때 소곤거리던 간호사복을 입은 두 여성은 딴청을 피우고 있었다. 못 들은 척하며 걸었지만 이루는 이 상황이 심적으로 너무 힘들고 속은 메스꺼웠다. 이내 화장실에 도착한 그는 급하게 변기를 잡곤 연신 토를 하였다. 그렇게 속을 게워내고 빠르게 세수를 한 뒤 곧바로

당직실로 향했다. 병원이 불편하기도 하고, 집으로 돌아가면 맘이 놓일거라 생각했다. 그는 자신의 옷으로 갈아입은 후 집으로 향했다.

다음 날이 되었다.

'따르르르르릉...따르르... 탁!'
알람이 꺼졌다. 이루는 알람보다 일찍 깨어있었다. 충혈된 눈과 부스스한 머리, 퀭한 표정이었다. 밤새 수술 장면과 사망선고를 내리던 때, 지민의 아버지, 지민이가 꿈에 나와 한숨도 못 잔 그였다. 이루는 대충 고양이 세수를 하고 옷을 입고 택시를 불렀다. 좋아하는 초록 차를 운전하다간 졸음운전으로 사고가 날 것 같았다.

그렇게 출근을 한 이루는 복도를 터벅터벅 걸어 나갔다. 매일 같이 인사해주던 환자와 의사들은 사정을 아는지 표정을 어쩔 줄 모른 채 어정쩡하게 인사를 건넸고, 이루도 피곤한 표정과 어투로 맞인사를 했다. 그러던 중 뒤에서 누군가 어깨를 툭툭 쳤다. 여름 교수였다.
"이루 선생님! 몸은 좀 괜찮아지셨나요? 매일 아침 이 초록별 커피 드시던데 맞나? 하하 이거 드세요!"
여름 교수는 해맑은 표정으로 커피를 건네며 인사를 하였다.
"네... 뭐 덕분에요. 어제 일도 커피도 감사합니다."
이루는 무표정이지만 정중하게 대답하곤 진료실로 걸어갔다. 뒤에 선 여름 교수가 "오늘도 좋은 하루!" 라며 크게 외치고 손을 흔들었다.

이루의 걸음은 창피하면서도 이상한 기분에 빨라졌다.

　오전 일과를 마친 이루는 피곤했는지 점심 먹을 기운도 없이 진료실 책상에 엎드려 잠에 빠졌다. 5분이 지났을까 "죄송.. 죄송합니다.." 잠꼬대를 하곤 그 잠꼬대에 자신이 놀라 벌떡 일어났다. 또 악몽을 꾼 것이다.

　"아 오후에 수술 있는데 진짜 피곤해 죽겠네... 커피라도 마시자."

　혼잣말 후 그는 초록별 커피를 사러 갔다.

　그렇게 점심시간이 지나, 오후가 되었고 이루의 집도는 시작되었다. 이번 수술은 간단한 수술로 조그마한 종양을 제거하는 수술이었다.

　"20번 메스."

　이루가 이야기하자 그의 오른손에 해부칼이 견고하게 쥐어졌다.

　순간 어째서인지 이루의 눈에 환자가 지민으로 겹쳐 보이기 시작했다.

　'안돼... 정신 차리자. 집중 집중.'

　그러나 마음과 달리 메스를 쥔 손은 점차 떨리기 시작하더니 이내 수전증 환자가 된 듯 덜덜덜 떨리기 시작했다. 수술 의료진들은 숨죽인 채 불안한 그의 손만 쳐다보았다. 이루는 식은땀을 삐질 흘리기 시작했다. 절개를 하려 환자의 흉부 쪽으로 천천히 메스를 가져가더니 '스윽' 차가운 메스가 순식간에 환자의 피부를 갈랐다. 절개가 아닌 베

임이었다. 이루도 의료진들도 모두가 깜짝 놀랐다. 수술 간호사는 다급히 알코올 솜을 가져와 지혈을 시행했고, 다행히 베인 부위는 지혈이 되었다. '팅 티디딩 팅!' 이루는 메스를 떨궜다. 이내 호흡이 힘들어지고 맥박이 빨라지더니 *공황발작을 일으켰다. 이를 본 의료진들은 다시 한번 깜짝 놀라 벙쪘다. 그들 중 한 명이 외쳤다.

"미룹시다. 미뤄야겠어요. 여기서 수술 집도 가능한 사람 없잖아요!"

라고 이야기를 했고 모두 그게 맞는 것 같다며 수긍했다.

수술은 미루기로 하며 상황은 마무리가 되었다. 그렇게 이루는 수술환자와 같이 수술실을 나오게 되었고 공황발작 초기여서 그런지 점차 호흡이 돌아오더니 정상으로 돌아왔다. 의사가 공황발작을 일으켜서 수술을 미루다니 이루의 문제는 심각해졌다. 같이 들어갔다가 나왔던 수술 의료진들은 그에게 꼭 정신과에서 상담이라도 받으라고 이야기하면서 걱정하였다. 그도 심각성을 뼈저리게 느꼈다. 다음 날 오전 시간을 휴진으로 신청하고, 제일 이른 시간으로 정신과 예약을 접수했다. 집에 갈 힘조차 없던 당직실로 가서 잠을 청했다. 역시 악몽에 시달리며 자다 깨기를 반복하며 밤을 지새웠다.

*공황 발작
-짧은 시간 내에 일어나는 강력하고 급작스러운 발작. 우울증이나 공포증에서 복합적으로 일어난다.

4. 여름

다음 날 아침이 밝았다. 그리고 병원 진료도 시작되었다.

"5번 김이루다 님 진료실로 들어가세요."

대기 의자에 앉아있던 이루가 벌떡 일어나서 진료실로 들어갔다.

"오 안녕하세요. 이름이 특이해서 혹시나 했는데 역시나 선생님이 오셨네요! 이렇게 보니까 신기하기도, 어색하기도 하네요. 선생님은 어디가 불편해서 오셨을까요?"

여름 교수였다. 여름 교수는 이쁘장한 외모와 밝고, 명랑한 성격을 지닌 정신과 교수였다. 은근 장난기도 가득한 그녀였다.

이루가 어디가 불안한 눈빛으로 여름을 바라보며 이야기했다.

"지난 일들도 그렇고 제가 감사할 일만 잔뜩이네요. 선생님 제 이야기 혹시 들었나요?"

여름이 대답했다.

"음 이곳저곳에서 들리던데 안타까운 일이긴 하죠. 그런데 정확히는 알지 못해요. 자세히 들려주실래요?"

이루가 한숨을 한번 푹 쉬더니 말했다.

"그.. 음.. 얼마전에 중환자실에서 심정지로.."

이루는 우물쭈물 거리다 어쩔 줄 몰라 하더니 고개를 뒤로 돌렸다. 눈에서 눈물이 또르르 천천히 떨어졌다. 그 눈물을 소매로 닦은 뒤 말을 다시 이어갔다.

"죽은 아이. 그 아이 제가 수술을 했거든요. 그런데 수술 때 문제가 있었습니다. 사전에 미처 발견하지 못한 종양들이 번져있더군요. 그래서 한 번도 해본 적 없는 수술로 어쩔 수 없이 변경해서 집도했습니다. 그리고 그 수술은 성공적이라고 생각했죠. 그 아이의 아버지에게도 잘됐다고, 건강해질 거라 이야기도 드렸습니다. 한데 선생님이 그때 보신 그대로 아이는 수술 후 얼마 못 있다가 하늘나라에 가게 되었죠. 그 장면들이 계속 꿈에 나오고, 그 아이의 얼굴이 계속 아른거립니다. 그 아이의 아버지에게 희망을 주었다가 절망을 준 것도 너무나 죄스럽습니다. 또 제가 수술하지 않았더라면 더 살 수 있지 않았을까 생각도 듭니다. 어제는 간단한 수술이 있었는데 이젠 하다못해 환자가 그 아이로 겹쳐 보이더군요. 당황스럽고 무서워서인지 손이 너무 떨려 환자에게 뜻하지 않은 상처를 입혔습니다. 이런 제가 의사로서 자격이 있을까요? 후에 메스마저 바닥에 떨구고... 왠지 모를 공포감에 휩쓸려 숨도 안 쉬어지고 어제도 쓰러졌습니다."

　여름은 지긋이 눈을 감은 채 고개를 천천히 끄덕이며 이루의 이야기를 들어주었다. 그리고서 이야기를 꺼냈다.

　"잠깐! 음... 지금 선생님의 감정은 저도 이해가 돼요. 예전에 우울증으로 정말 힘들어하던 아이가 있었어요. 제게 찾아와 꼬박꼬박 상담도 받고, 약도 받으면서 치료를 이어가던 아이였죠."

　여름은 진지하게 그리고 담담하게 이야기를 이어갔다.

　"좋아지고 있었거든요? 물론 제가 봤을 때 말이죠. 웃음없던 아이는 웃을 줄 아이로 바뀌고, 심지어 제게 작은 편지까지 써주었어요. 이쁜 아이였죠. 근데 그 아이는 지금은 아프지 않아요. 아름다운 날개를 달고 상처 없는 휴식을 취하러 하늘로 올라갔거든요. 정말 괜찮아지고 있는 줄 알았는데, 그랬는데... 맞아요... 어느 날 스스로... 그렇게 됐어요. 그 당시의 저도 선생님처럼 슬픔이란 감정에 잡아먹혔었고 내가 더 잘할 걸, 내가 자격이 있을까? 하면서 제 자신을 탓했죠. 꿈에서도 그 아이가 아른거렸고, 죄책감에 시달렸었어요. 그러다 보니 제가 망가지기 시작하더라고요. 지금도 가끔 생각이 나죠. 아무튼 제 이야기가 너무 길어졌죠? 저도 그랬었다고 알려주고 싶어서 이야기했네요."

여름은 건드리면 울 것 같은 글썽거리는 눈을 하곤 찡긋 웃었다. 그리곤 연민 가득한 표정으로 멋쩍은 웃음을 한번 짓더니 또 이야기를 꺼냈다.

"갑자기 냉담한 이야기일지는 모르지만 사인은요? 그 아이의 사인이 혹시 이루 선생님의 수술 때문인가요?"

어떤 표정을 지어야 할지 모르겠는지 어색한 얼굴을 한 이루가 대답했다.

"사인은 심정지요. 제 수술에 문제가 있었는지는 모릅니다. 유족이 부검을 하고 싶지 않다고 해서.."

여름이 '휴'하고 한숨을 한번 쉬더니 말을 쏘아 붙였다.

"그런데 왜 선생님이 다 잘못한 것처럼 그러는 건가요? 심정지라면서요. 선생님은 수술을 잘 마치셨다면서요. 당연히 죄책감이 들 수도 있겠죠. 당연히 슬픈 일이기도 하구요. 한데 선생님이 수술을 집도하지 않았어도 심정지가 일어났을 수 있잖아요? 선생님은 최선을 다하지 않았나요? 제가 감히 말하지만 이루 선생님을 봤을 땐 절대 그런 사람은 아닌데? 좀 마음의 짐을 놓으시는게 좋을 것 같아요. 말처럼 쉽지는 않겠지만."

　이루는 대답 없이 고개를 뚝 떨구고 바닥을 보았다.

　그러자 여름이 굳센 어투로 말했다.

　"선생님 저는 어떻게 이겨냈을지 궁금하진 않나요? 간단했어요. 다른 환자들이 와서 나아지는 걸 보면서 점차 괜찮아졌어요. 생각보다 뻔한 것 같죠? 근데 선생님! 선생님이 그러고 계시면 어제 같은 환자들은 어떡해야 할까요? 그리고 선생님이 의사 자격이 없다니요? 선생님이 살리신 분들만 백 분이 넘어가는 걸로 알고 있는데 제 말이 틀렸나요? 단 한 번에 무너지실 거예요?"

　이루는 바닥을 본 채 고개를 양옆으로 도리도리하였다.

　여름이 도리도리를 보고 조금은 귀여웠는지 아이를 달래듯이 말을 건넸다.

　"선생님 제가 볼 땐 약은 없어도 될 거 같은데. 필요하시면 처방해 드릴게요. 필요하신가요?

　이루는 아까와 같이 도리도리하였다.

　여름이 또 말을 건넸다.

　"흠... 바로 오려고 초록별 커피도 못 마셨죠?"

　이루는 고개를 앞뒤로 끄덕였다.

　"그럼 제가 좀 이따 초록별 커피 사드릴테니까 점심 맛있게 먹고 만나요. 그때는 웃으면서 보기로 약속해요."

여름이 약속하자며 새끼손가락을 내밀었다. 이루는 고개를 한번 끄덕이고 손으로 약속하며

"감사합니다. 선생님."

하곤 진료실을 나갔다.

여름 교수는 공감 능력이 뛰어났고, 사람을 잘 다뤘다. 다룬다기보단, 잘 맞춰서 대해준다고 해야 할까? 환자를 많이 만나서 그런 건지 선천적으로 그런 건지는 모르겠지만, 뛰어난 상담 능력을 갖춘 정신과 교수임에는 틀림이 없었다.

진료실에서 나온 이루는 오길 잘했다는 생각도 들고 자기가 잠시 어린이가 된 듯한 느낌에 괜히 양쪽 볼이 달아올랐다. 이후 시계를 보니 10시 36분이었다. 오전에 딱히 할 것도 없어 당직실로 들어가 침대에 앉았다. 그러다 그동안 긴장들이 풀렸는지 기절하듯 잠에 빠졌다.

"이루! 일어나 점심 안 먹을 거야?"

잠에 빠졌던 이루를 향해 동료 의사가 다가와 이야기했다. 부스스해진 머리를 털고 이루는 일어나 시계를 보았다. 12시 31분이었다. 병원의 점심시간은 1시까지였는데 그는 점심이 문제가 아니었다. 왜인지 초록별 커피를 여름 교수와 마시고 싶었다. 대충 어푸어푸 고양이 세수를 하고 물기만 닦은 뒤 병원 안에 있는 초록별 커피숍으로 향했다. 커피숍에 도착해서 둘러보았지만 여름 교수는 없었다. 그때 복도 쪽에서 걸어오는 그녀가 보였다. 이루는 아이스 아메리카노 두 잔을

재빠르게 시켰다. 그 후 여름이 도착해서 말을 걸었다.

"오 이루 선생님! 혹시 저 기다리고 계신거예요? 하하 약속했으니 제가 살게요. 점심은 맛있게 드셨나요?"

이루가 커피 진동벨을 쑥스러운지 슬며시 보여주면서 대답했다.

"이미 시켰어요. 여름 선생님 것까지. 너무 감사해서 제가 사고 싶었어요. 점심은 못 먹었어요. 잠들어가지고..."

여름이 화들짝 놀라며 말했다.

"헐랭, 주무셨다고요? 혹시 악몽은 안 꿨나요? 푹 잘 잤어요?"

이루도 놀라며 대답했다.

"헉, 그러네요! 푹 잔 거 같아요!"

여름이 웃으며 이루의 등을 툭툭 치면서 대답했다.

"선생님은 내가 빨리 회복될 줄 알았다니까요? 하하하"

그때 진동벨이 울렸다. 이루는 커피를 받아 여름에게 주곤 이야기를 꺼냈다.

"잘 자서 그런지 컨디션이 좀 좋아진 것 같아요. 감사해요. 선생님이랑 이야기한 덕분에 마음이 좀 편해졌나 봐요. 근데 아직 불안해요. 제가 이틀 뒤에 조금 큰 수술이 있어요. 그런데 어제 메스만 들면 실수할 것만 같은 생각에 손도 떨리고 환각도 보이더라구요. 그래서 수술은 다른 선생님께 넘어가졌구요. 이틀 뒤에도 그러면 어쩌죠?"

이루의 표정은 시무룩했고 여름은 장난기가 섞인 말투로 대답했다.

"선생님 E죠? 하하 죄송해요."

진지한 표정으로 바뀐 여름은 이어 말했다.

"T가 되어보세요. 정말로 이성적으로 생각해야 할 때가 있잖아요? 수술 집도할 때가 그럴 때 아닐까요? 과거 일은 절대 이루 선생님 잘못이 아니에요. 선생님은 최선을 다했고, 실수도 없었잖아요. 안타까운 일이지만 그건 일어날 일이었다고 생각해보는 건 어떨까요?"

그러곤 여름은 "아 생각해보기보단 이게 낫겠다!" 하고 혼잣말을 한 뒤 다시 이루에게 가까이 다가가 어깨를 토닥이며 말했다.

"그 일은 절대 이루 선생님 잘못이 아니에요. 선생님은 최선을 다해서 노력했고, 실수는 없었어요. 그 일은 일어날 수밖에 없는 천재지변 같은 일이었어요. 그러니 이번엔 꼭 눈 앞에 보이는 환자만큼은 또 최선을 다해보세요."

여름은 이야기를 마치고 살며시 웃더니

"환청이 보이거나 무서운 감정이 들 때 제가 해준 말을 꼭 기억하고, 할 수 있다! 라고 마음속으로 세 번 외치세요. 그럼 해결될 거예요. 믿어보세요. 어머 시간이 벌써 이렇게! 저 먼저 들어가 볼게요. 또 봐요!"

라고 이야기하곤 커피를 들고 뛰어가버렸다. 이루는 자기도 모르게 웃음을 짓고 있었다.

5. 생각의 힘.

　이내 이루가 걱정하던 큰 수술을 하는 날이 되었다. 수술은 오후 2시였다. 이루는 아침부터 분주히 환자의 상태를 자세히 확인하러 중환자실에 들렀다. 수술환자는 정연이라는 여자아이로 그 아이는 왠지 모르게 지민과 닮아있었다. 지민보다 나이가 많아서 그런지 조금 더 성숙한 면도 있었다. 이루는 지민을 떠올렸다는 생각에 무언가 모를 불안감이 조금 들기 시작했다. 정연은 우측 폐에 암이 심각하게 전이되어 전엽절제술을 받아야 하는 상황이었는데 그녀는 긍정적인 소녀였다.

　"선생님 잘 부탁드려요. 선생님만 믿을게요."

　말하기도 힘든 상태인데도 밝은 얼굴로 웃으며 이루에게 말을 건넸다.

　이루는 마음이 복잡한 감정을 숨긴 채 씨익 웃으며 대답했다.

　"선생님만 믿어. 잘 될거야."

　하곤 머리를 쓰다듬어주었다.

　그렇게 상태 확인 검사를 마치고 마취과 의사와 간호사 등 여러 수술 의료진들과 수술 과정을 논의했다.

　이윽고 오후 2시가 되었다.

　이루가 말했다.

　"2022년 10월 27일, 14시 00분. 지정연, 00년생. 우측 전엽절제술(Pneumonectomy)을 시작합니다."

언제나 그렇듯 수술이 시작되자 모든 수술팀 의료진들은 이루를 주목하며 쳐다보았고, 이루는 긴장감 가득한 마음을 냉담한 표정으로 숨기며 집도를 시작했다.

"20번 메스."

이루가 차분한 목소리로 이야기하자 여느 때처럼 그의 오른손에 해부칼이 견고하게 쥐어졌다.

그는 자신도 모르게 그날이 떠오르기 시작했다. 손이 조금씩 떨리기 시작했다. 그때였다. 여름 교수의 이야기가 떠올랐다. 이루가 말했다.

"죄송합니다. 잠시만요 1분만 생각할게요."

모든 의료진은 조금 의아했지만, 별말 없이 고개를 끄덕였다. 이내 이루는 코로 크게 숨을 들이마시고 천천히 내뱉으면서 눈을 감고 생각했다.

'할 수 있다. 잘 할 수 있다. 해낼 것이다. 지민이는 지민이고 정연이는 정연이다. 오늘 난 무슨 일이 있어도 지정연을 꼭 살린다. 할 수 있다.'

이루는 왠지 모르게 조금은 편안해진 느낌이 들었다. 손의 떨림도 멈추었다. 그리고 다시 눈을 뜨더니 말했다.

"다시 시작하겠습니다."

눈부시게 밝은 백색 형광등 아래에서 이루의 20번 메스는 마취된 정연의 가슴을 정교하게 절개하여 열었다.

"15번 메스(mes)"

더욱 얇은 정교한 메스로 바꾸고 이루는 신중하게 폐의 혈관과 기관을 절단하고 분리했다. 이어서 미세한 혈관들을 조심히 묶어 혈액 유량을 완벽히 제어했다. 모든 의료진은 수술 광경을 보며 왜 그가 명성이 자자했는지 단번에 이해할 수 있었다. 과감한 듯 섬세하게 우측 폐를 제거했다. 그는 정교한 기술로 미리 준비한 계획을 철저하게 따라가며 수술을 집도했다.

"이제 꿰매서 닫을게요. 한동안은 *드레인이 필요할 거 같으니까 준비해 주세요."

수술 간호사는 고개를 끄덕이고 드레인 가져왔다.

이루는 드레인을 사용할 부위를 절개하고 설치하고 꿰매었다.

"모두들 고생하셨습니다."

그의 마지막 말로 수술은 무사히 끝났다.

수술실을 나오자 정연의 부모가 초조히 안절부절 기다리고 있었고, 이루는 수술이 정말 잘 되었다는 좋은 소식을 전해주었다. 부가적으로 이제 폐가 한 개밖에 없으니 숨이 많이 차는 행동은 피하는 것이 좋다고 조언해 주었다. 후에 이루 옆에 있던 간호사가 필요한 물품이 적힌 인쇄물을 전해주며 부모님에게 이야기했다.

"우선 정연이는 마취에서 깨어날 때까지 회복실에서 회복할 거구요. 후에 중환자실로 가서 며칠간 수술한 부위 상태를 체크하면서 안정을 취할 예정입니다. 그 후 많이 괜찮아지면 일반 병실로 옮겨질 예정입니다! 이건 병실에서 필요한 물품들이에요."

이루는 간호사의 말을 듣고 또 지민이가 생각났다. 그래서인지 옷을 바르게 환복한 후 정연 곁을 지키려 회복실로 갔다. 30분 정도 지났을까? 정연은 마취에서 풀렸는지 눈을 반쯤 뜨더니 이내 다시 지긋이 눈을 감고 이야기했다.

"선생님... 감사해요.."

그리곤 씨익 웃었다.

이루는 마음이 괜히 말랑해지더니 이내 뭉클해졌다.

"정연아 지금은 말 많이 하면 안 좋아. 수술이 너무 잘돼서 다행이다. 선생님이 옆에 잠깐 있을 거니까 푹 다시 자 정연이."

그의 말에선 따뜻함이 담겨있었다.

정연은 그새 잠들었는지 대답 없이 온화한 표정으로 눈을 감고 있었다.

한 2시간이 지났을까? 그제야 이루는 퇴근 준비를 하고 귀가했다.

*드레인[drain]

-농양이나 액체를 제거하는 일. 또는 그것을 위하여 사용하는 도구. 일반적으로 관 형태로 상처 부위에 삽입한다.

6. 가족

정연의 수술이 끝난 지 어느덧 4개월이 지났다. 정연의 상태는 전혀 문제가 없었다. 반대로 뛰어다닐 정도로 좋아져서 퇴원할 준비를 하고 있었다. 대신 뛰어다니면 부모님과 의료진들에게 꾸중을 들었다.

"뛰면 숨차서 안 좋다니까!?"

그리고 이렇게 이루에게도 혼이 나기 일쑤였다.

여름 교수는 이루다 교수와 수술이 끝나고 수술 후의 이루의 심리상태나 잡담 등 몇 차례 더 이야기를 나눴었다. 그 이야기를 통해 정연을 알게 되었고, 그녀는 '병원이 힘들지는 않을까?' 생각하며 선뜻 다가가 말동무도 해주었다. 둘 다 밝고 장난기가 많은 성격인지 급속도로 친해진 정연과 이루였다.

이루는 정연의 수술이 끝나고 일주일 동안은 무슨 일이 생길까 봐 당직을 자처하며, 언제든 갈 수 있는 위치를 지켰었다. 물론 그날 이후로 악몽은 꾸지 않았고, 메스를 떨구는 일도 없었다. 혼자선 감당하지 못했을지 모르겠지만, 여름 교수의 상담과 정연의 웃음에 도움을 받아 그는 자신을 이겨냈다.

정연이 퇴원하기 전에 이루는 정연을 보고 싶어 정연의 병실로 향했다. 여름도 정연이 보고 싶어 정연의 병실로 향했다.

이루가 들어가자 정연이 해맑은 웃음으로 그를 불렀다.

"이루 선생님!!!"

말이 끝나기 무섭게 연이어 여름 교수가 문을 열고 들어왔다.

정연이 놀란 표정을 지은 후 또 해맑은 웃음으로 그녀를 불렀다.

"여름 선생님!!!"

후에 갑자기 정연은 동그란 눈을 멀뚱멀뚱거리며 이루와 여름을 번갈아 쳐다보더니 이내 손으로 입을 가리는 시늉을 하며 말했다.

"헐 혹시 둘이 사귀어요?"

웃고 있던 이루와 여름은 질문에 당황해 서로를 한번 쳐다보곤, 동시에 대답했다.

"아니야!!!"

그러나 둘의 양 볼은 붉게 달아올라 있었다.

옆에 있던 정연의 부모님이 그 상황에서 껄껄 웃기 시작하더니 이내 이루도 여름도 정연도 웃음이 나왔다.

그렇게 조용했던 병실에는 따뜻한 사람의 웃음소리만이 널리 퍼졌다.

누군가 보았다면 이들을 가족으로 착각했을 것이다.

그렇게 이들은 살아가며 힘든 순간이 다가와도 이젠 이런 웃음을 잃지 않고 살고 있을 것이다.

재흑이

김다희

김다희 안녕하세요. 저는 26살의 다희라고 합니다. 평범한 저의 말들이 책에 실리는 활자가 된다니, 너무 신기하고 두근대는 일입니다. 저의 이야기 중어떤 이야기를 실을까 많은 고민이 있었는데, 지금의 제가 가장 하고 싶은 말을 하는 게 좋을 것 같다는 생각을 했습니다. 만약 이 글을 읽게 된다면 가볍게 읽어주시고 다희와 재흑이를 떠올려 주셨으면 좋겠습니다. 감사합니다.

instagram: @dahee_

너를 처음 본 날

　군대에 왔다. 내가 군대에 오게 될 줄은 정말 몰랐는데. 23살이 끝나가던 12월 겨울, 나는 군무원 시험에 합격했고 인천으로 발령받아 첫 독립을 하게 되었다. 창원에서 나고 자란 내가 연고 하나 없는 이곳에서 첫 자취와 첫 직장생활을 동시에 시작하게 될 줄이야. 걱정스러운 떨림 반, 두근거리는 설렘 반으로 내 마음은 가득 찼다. 물론 모든 직장인들이 그렇듯, 사회초년생 때 가졌던 기분 좋은 설렘이 사라지는데는 오래 걸리지 않았지만 말이다. 나는 점점 부대와 군 생활에 적응을 했고 내 또래 직장동료도 사귀며 나름 잘 정착해 나갔다. 우당탕퉁탕 하루 일과를 보내고 나면 퇴근 후에는 또래 동료들과 어울리곤 했다. 그러기를 한 계절, 두 계절 보내다보니 어느새 겨울이었던 세상은 새로운 가을을 맞이할 준비를 하고 있었다. 그 때쯤 그를 만났던 것 같다. 재흑이를.

그날은 우리 건물의 제초 작업을 하는 날이었다. 지휘관 중 누군가가 가을이 본격적으로 시작되기 전 환경 정리를 하고 싶으셨는지 모르겠다. 내가 근무하는 건물은 2층짜리 건물이었는데 대략 5개 정도의 부서로 나뉘어져 있다. 건물의 모든 사람들은 풀을 뽑고, 담고, 쓰는 작업을 했다. 내가 열심히 풀 뽑는 일에 집중하고 있으면 왕지렁이를 발견한 2층 장교분들은 장난을 치기도 했다. 정말이지 부대에서 벌레를 볼 때마다 그 압도적인 크기에 여기가 군대라는 사실을 체감하고는 한다.

뽑아 놓은 풀들은 비질로 쓸어서 한 곳으로 모았다. 나는 군대에 오기 전에 다양한 아르바이트 경험이 있었고 때문에 힘쓰는 비질에는 나름의 조그마한 자부심을 가지고 있었다. 오랜만에 큰 빗자루를 들고 청소를 하려고 하니 예전에 아르바이트를 하던 때가 떠올라서 열심히 힘을 주어 비질을 하고 있었다.

그 때

"주무관님, 그거 비질 그렇게 하는 거 아니에요."라는 목소리가 들렸다.

순간 '뭐야?'라는 말을 머리로만 생각하면서 그 목소리를 찾아서 올려다 보았다. 목소리가 들린 곳에는 그가 서 있었다. 일전에 복도에서 한번 마주친 적이 있는 그였다. 하지만 그것뿐이었다. 그가 누구인지, 어느 부서인지, 계급, 이름 하나도 아는 것이 없었다.

일주일 전쯤일까, 그를 복도에서 만난 적이 있었다. 까무잡잡한 구릿빛 피부에 180쯤 되어 보이는 키, 쌍꺼풀은 없지만 송아지마냥 동그랗고 큰 눈, 그 아래에서 너무 높지도, 낮지도 않게 적당히 오똑한 코, 얇은 입술을 가진 내가 부러워하는 도톰한 입술을 가진 그는 장난꾸러기처럼 보이는 매력적인 외모를 가지고 있었다. 내 취향을 모두 모아 놓은 듯한 그의 외모에 나는 당연하게도 그에게 내심의 관심이 생겼다.

나는 그래서 그를 기억할 수 있었다. 그가 던진 말은 장난스러운 대사였기에 '농담을 하시는 건가?'라는 생각으로 그를 올려다봤지만, 그는 사뭇 장난치려는 의도는 없다는 듯이 진지한 표정을 하고 있었다.

"네?"

당황스럽기도 하고 나한테 시비를 거는 건가 싶은 생각에 되물었다.

"빗자루를 이렇게 두 손으로 잡고 뒤 쪽이 아니라 옆으로 쓰는 거예요." 진지하게 비질에 대해 알려주려는 듯한 그의 모습에 왜인지 웃음이 나기도 하고 나도 장난기가 생겼다.

"비질 잘 하시나 봐요. 한번 보여주세요."

나는 자연스럽게 그에게 빗자루를 넘겼고 그는 시범을 보여 주려는 듯 비질을 했다.

"오 진짜 잘하시네요! 그럼 파이팅."

나는 곧바로 응원 한마디와 함께 씨익 웃고는 도망쳤다. 사무실로 들어가며 살짝 뒤돌아보니 그는 당황한 표정을 지으며 당했다는 듯한 표정을 지었다.

　그날 이후로 나는 그를 종종 마주칠 수 있었다. 알고 보니 그는 우리 사무실이 있는 건물 2층에 새로 온 장교였다. 종종 그를 마주칠 때마다 나는 나의 마음이 호기심에서 호감으로 변하고 있음을 느꼈다. 누군가를 먼저 좋아해본 적은 없었지만, 그를 일부러 마주치려고 타이밍을 재서 2층 복도를 지나가고, 굳이 안 해도 되는 간행물을 나눠주려고 그의 부서를 방문하는 내 모습은 내가 그를 좋아하게 됐구나를 확신하게 만들었다.

결국 우리는

　야간 당직근무를 서고 있던 날이었다. 당직근무 체계는 부대마다 다른데, 우리 부대의 경우 주말에는 12시간씩 주·야간으로 투입되었다. 주야간 교대는 09시, 21시를 기준으로 이루어지는데, 원칙은 30분 전에 와서 인수인계 후 교대하는 것이다. 그런데 사실상 인수인계에 그리 많은 시간이 걸리지 않기 때문에 보통은 40분에서 50분 어간에 다음 근무자가 왔다. 그 날도 너무너무 지루한 시간을 바라보며 얼른 교대시간이 다가오기만을 바라고 있었다. 오늘 주간 근무자 누구지? 이따 주간에 누가 오시나 하며 근무표를 찾아 보았다.

그다!

그와는 한 번도 당직 근무를 교대한 적이 없었다. 처음이었다. 이렇게 잠깐 마주치는 것도 좋았다. 그렇게 시간이 흐르고, 07시, 07시 반, 08시.

"충성 안녕하십니까!"

인사소리에 고개를 드니 그가 내 옆의 장교 선배들에게 인사를 하며 들어왔다.

"재혁이, 왜 이렇게 일찍 왔어."

장교 선배들도 따분한 당직실을 깨는 그의 인사가 반가웠는지 기지개를 켜며 인사를 받아주었다.

"하하, 사무실에서 업무 좀 보다가 일찍 왔습니다."

특유의 멋쩍어하는 말투로 그가 답했다. 그의 등장에 나는 너무 놀라서 눈을 크게 뜨고 그를 쳐다보았다. 1분 1초라도 머무르고 싶지 않은 당직 근무실에 1시간이나 일찍 왔다고? 이건 있을 수가 없는 일이다. 거기다 그는 내 옆에 앉더니 스윽, 내가 좋아한다고 말했던 곰돌이 푸 비타민 음료를 건네었다.

"저희 사무실에 이거 많아요, 주무관님 드세요."

의미없는 다정함은 유죄라는 말이 있다. 그도 나에게 호감이 있다고 생각해도 되는 걸까? '그치, 호감이 없다면 근무에 한 시간이나 일찍 투입하고 일부러 내가 좋아하는 음료를 챙겨왔을 리가 없어.' 그의 예상치 못한 행동으로 내 머릿속은 소란스러워졌다.

그와 교대를 하고 야간 근무를 마친 나는 집에 가서 잠을 청했다. 그날따라 왜인지 몇 시간 못 자고 깨버렸다. 또 그날따라 왜인지 집에서 더 쉬지 않고 사무실에 가서 초과근무를 했다. 아무 생각 없이 사무실에 가서 일을 하고 있었는데, 문득 그가 주간 근무를 끝내고 사무실에 들렀다가 집에 갈지도 모른다는 생각이 들었다. 사실 그가 본인 사무실에 들를 이유는 없었다. 곧바로 집으로 갈 수도 있는 거니까. 그러나 나는 그가 사무실에 들렀다가 집에 갈 거라는 작은 확률을 믿어보기로 했다. 그를 기다리며 두근대는 마음 반, 실망을 대비해서 안 올 거라는 마음이 반반 섞여 마음 속이 어지러울 지경이었다. '그'라는 생각을 없애고 업무에 집중하려고 노력했다. 어느새 시간은 흘러 밤이 되었다. 20시 반 정도부터는 노래를 틀었다. 혹시라도 사무실을 들르게 된다면 노래 소리를 듣고, 내가 있음을 알아차리라는 마음이었다. 참, 누군가를 좋아하면 이렇게 멋 없어지는구나 하는 생각이 들었다.

그렇게 20시 40분, 50분, 55분, 그리고 21시가 되었다. 그는 오지 않았다. 나는 뭘 믿고 여태까지 사무실에서 기다린 걸까. 체념하는 마음으로 컴퓨터를 껐다. 짐을 챙기고 터벅터벅 집으로 걸어갔다. 그가 올 거라는 보장은 없었지만, 기대도 안 하려고 했지만, 어쩔 수 없이 내 발걸음에는 힘이 하나도 들어가지 않았다. 부대의 밤은 유난히 더 어둑어둑하고 껌껌했다. 그 때 라이트를 켠 차 한 대가 급하게 골목을 올라왔다.

그다!

멈춰선 차에서는 앞자리 창문이 스르륵 열렸다.

"어, 주무관님! 왜 여기 계세요?"

그는 나만큼이나 놀란 듯이 동그란 눈을 더 동그랗게 뜨며 물었다. 그도 그럴 것이 이 시간에 부대에 사람이 있을 것이라고는 생각하기 어려울 테니까.

"아 저 초과근무 하다가 이제 집 가요!"

"아아 ……."

……

"네? 태워주신다구요?"

아무 말도 안하는 그를 빤히 쳐다보다 그냥 조수석에 타 버렸다. 그도 이런 나의 장난이 싫지 않았던 것 같다. 어쩌면 나 혼자만의 착각일 수도 있겠지만.

나는 부대 안에 숙소를 얻어서 살고 있었기 때문에 그리 멀지 않았다. 차로 이동하면 10분 정도의 거리였다. 우리 집까지 가는 동안에 나는 열심히 배고프다는 추파를 던졌다. 실제로 배가 고프기도 했다. 내가 계속해서 배고프다, 치킨 먹고 싶다는 둥의 이야기를 하면 그가 '같이 먹을래요?' 이런 제안을 하지 않을까 내심 기대했던 것이다.

"치킨 먹고싶지 않아요? 아 배고프다."

그러나 그는 내 말에 동의하면서도 같이 먹자는 그 한마디는 끝내 내뱉지 않았다. 먼저 같이 먹자고 제안할 수도 있었지만, 용기가 없었다. 바보 같았다. 그렇게나 그를 기다렸으면서 그 한 마디를 못 해서는.

그렇게 집까지 도착을 했고 나는 결국 제안하지 못 한 채 차에서 내릴 수밖에 없었다. 집으로 들어가는 발걸음 한걸음 한걸음에 공허와 나 자신에 대한 한탄스러움이 담겨 있었다. 마음이 텅 빈 것 같았다. 완전한 우연을 가장해서 그를 만났지만, 결국 같이 차를 타고 오는 그 10분 정도의 시간이 수확물의 전부라니.

집에 들어온 나는 쉽게 이 아쉬움을 거둘 수가 없었다. 오늘을 놓치기에는 너무 아까운 날이라는 생각이 들었다. 둘 다 근무를 섰고, 오늘은 토요일, 내일도 쉬는 일요일이다. 아, 같이 야식 먹기에 최적의 타이밍이다. 이성에게 관심을 가지고 먼저 연락해 본 적이 없던 나는 큰 용기를 내보기로 했다. 그래, 연락해보고 아니면 마는 거지. 그냥 해보자 그냥. 결국 한 시간의 고민 끝에 부대 단체 채팅방에서 그를 찾아 메시지를 보냈다. 그의 연락처도 없었기 때문에.

"장교님, 저 치킨 먹고 싶은데…… 같이 먹을래요?"

그는 나를 내려주었던 집으로 왔고 우리는 치킨과 맥주를 먹었다. 우리는 급속도로 가까워졌다. 그날 밤 우리가 먹은 치킨은 기대에 못 미치는 맛이었고 맥주도 그가 가져온 6캔과 우리 집에 있던 3캔 정도가 다였지만 우리는 밤새도록 이야기를 나눴다. 그렇게 친한지도 않던 사람과 몇 시간을 꼬박 이야기 할 수 있다는 게 신기했다. 무슨 이야기를 나눴는지 기억도 나지 않지만, 우리의 대화는 끝이 없었다.
자연스럽게 우리는 그 다음 만남을 약속하게 되었고, 그 다음도, 또 그 다음 약속을 잡게 되었다. 우리는 퇴근 후 같이 저녁을 먹는 사이가 되었고 매일 저녁으로 무엇을 먹을지 고민하는 연락을 주고 받다가, 서로의 저녁을 걱정해주는 사이가 되었다. 그리고 우리는 결국 같이 저녁을 먹은 후 손잡고 산책하는 사이가 되었다.

배우고 싶은 사람

그와 같이 있는 시간은 늘 재미있었다. 그는 늘 나를 새롭고 좋은 곳으로 데려가 주었고 내가 경험해 보지 못한 것들을 느낄 수 있게 해 주었다. 캠핑을 한 번도 해보지 않은 나에게 캠핑 장비를 다 가지고 있는 캠핑마니아인 그의 모습은 새로운 즐거움이었다. 핼러윈같은 날에 큰 의미를 두지 않았던 나에게 같이 놀이공원에서 분장을 하고 놀자는 그의 제안은 들뜨는 설레임이었다. 스키를 한 번도 타보지 않았던 나에게 스키를 알려주겠다며 같이 스키장에 갔던 그는 새로운 경험으로 나를 나아가게 해 주는 다재다능한 선생님이었다. 이것 말고도 그와 함께 단풍놀이를 간 것도, 축구경기를 직관한 것도 나는 모두 처음이었다.

상대적으로 나는 세상의 경험이 너무 적었고, 그는 다양한 경험을 가지고 있었다. 그것은 우연적으로 얻게 된 결과가 아니라 그의 배움의 의지에서 나온 것이라고 생각한다. 그는 경험을 중요하게 생각하는 사람이었다. 그러나 단순한 경험을 느끼는 것으로 끝나는 것이 아니라 그것을 통해서 새로운 것을 알게 되고, 이전에는 느낄 수 없었던 더 넓어진 시야를 가지게 되는 것이다. 하나하나의 경험이 쌓여 그는 더 커지고 다양한 시각으로 세상을 바라보고 있었던 것이다. 나는 그의 '배우려는 의지'를 배우고 싶다.

　그와 같이 해외여행을 갈 기회가 생겼다. 동남아 여행을 계획하던 우리는 태국으로 여행지를 정하고 방콕-치앙마이를 방문하기로 했다. 일자별로 숙소와 방문해 볼만한 곳, 체험해볼만한 것들을 정하고 예매까지 완료했다. 보통의 여행 준비는 여기까지, 혹은 맛집이나 분위기 좋은 펍(pub)등을 찾아보는 정도라고 생각했다. 그러나 그는 도서관에 갔다. 태국, 방콕, 치앙마이에 관한 여행 서적들을 모아온 그는 책을 읽기 시작했다. 책의 내용을 필기하고 집에 가서는 워드로 정리를 했다. 그 나라의 역사부터 유명한 관광지의 배경, 해당 지역의 영사관 대표번호와 긴급번호, 그리고 0부터 10까지의 간단한 숫자와 인사말을 정리했다. 그런 그의 모습을 보고 나는 놀랍기도 하고 감탄스럽기도 했다. 같은 해외여행을 가더라도 나는 크게 찾아보고 정리를 하지 않고 그냥 갔다가 즐기고 돌아오는 것이라고 생각했었기 때문이다. 두 사람이 같은 여행을 가는데도 한 사람은 배우고 얻어오는 것이 정말 많겠구나 라는 생각을 했다.

　또한 그는 감정을 절제하는 것에 능숙한 것 같았다. 그것은 그와 연애를 시작하면서 가장 먼저 우리가 다르다고 느낀 부분이다. 나는 감정 기복도 심한 편이고 감성에 쉽게 젖어드는 사람이다. 그러나 그는 이성적으로 판단하려 노력한다. 그는 슬픈 영화를 봐도 눈물 흘린 적이 없었고, 나는 재미있는 영화를 봐도 조금만 감동적이면 눈물이 맺혔다. 초반에는 우리의 이런 다른 점으로 서운할 때도 종종 있었다. 나의 감정을 그가 공감해주거나 이해해 주지 못한다고 생각했으니까. 그러나 반대로 그의 입장에서는 별 것 아닌 일에도 감정적으로 반응하는 내가 답답하거나 이해가 안 되었을 수 있겠다.

하루는 데이트를 위해서 차를 타고 이동 중이었다. 그의 친한 형을 만나기로 한 자리였다. 사이좋게 차를 타고 가다가 나는 내 립스틱을 두고 온 것을 알아차렸다. 하필이면 그 날 피부에 알레르기가 번지게 되어서 스트레스를 받고 있었는데, 립스틱까지 두고 온 것을 알게 된 순간 나도 모르는 짜증의 감정이 훅 올라왔다. 그는 짜증 섞인 말투로 속상해 하는 나를 달래기 위해 노력해 주었다. 그는 이 문제를 해결하기 위해 몇 가지의 대안을 제시했다.

"나도 립밤 있는데, 색 조금 섞여 있는 거야. 내꺼라도 줄까?"

"가다가 화장품 가게 있는지 찾아보고 들를까?"

지금 생각하면 그의 제안들은 저 상황에서 나에게 해줄 수 있는 최적의 대안이었던 것 같다. 그러나 그 당시의 나는 툴툴거림을 멈추지 않았고 몇 번 더 짜증 섞인 말을 내뱉었다. 결국은 그도 화를 내고 싸우게 됐던 적이 있다.

지금 이때를 회상하면 짜증을 내는 나의 옆에서 이성적으로 문제 상황을 파악하고 현실적으로 가능한 대안들을 제시해 주는 그가 대단하다는 생각이 든다. 내가 그의 이런 이성적인 모습을 배워야겠다는 생각이 들었던 때는 저 상황처럼 내 맘대로 되는 것이 하나 없는 짜증났던 날이었다.

그를 만나러 지하철역을 가야했다. 비가 와서 나는 새로 산 장화를 개시했다. 그리고 지하철역을 가기 전에 고장 난 기타를 수리해야겠다고 계획을 세웠다. 나는 기타를 메고 장화를 신고 우산을 쓰고 밖으로 나갔다. 그런데 장화 안에 신은 양말이 발목이 늘어난 양말이었고 결국 뒤꿈치까지 흘러내렸다. 그 때문에 종아리 뒷 부분이 새 장화에 계속해서 쓸리게 되었다. 거기다 기타 수리점 두 곳을 방문했는데, 두 곳 다 문을 닫은 상황이었다. 기타는 무거웠고 쓸리는 종아리는 아팠다. 어쩜 내 생각대로 되는 일이 하나 없다는 생각이 들어서 기타 수리점 옆에 멍하니 서 있었다.

그러다 문득, 짜증만 내고 있어서 어쩌겠나 라는 생각이 들었다. 화가 난다 해도 그 자리에 서 있기만 해서는 아무것도 할 수가 없었다. 그 때 그가 떠올랐다. 지금 그가 내 상황이었다면 어떻게 했을까? 이성적으로 현재 상황을 판단하고, 짜증이라는 감정은 잠시 접어두었을 것이다. 그리고 당장 할 수 있는 방안이 무엇인지 찾지 않았을까. 생각이 여기까지 미친 나는 일단은 움직여야겠다는 생각이 들었다. 조금 멀어서 갈 엄두가 안 났던 악기 수리점에 가서 기타를 맡기고 양말은 계속해서 끌어 올렸다. 내 상황에서 할 수 있는 최선을 생각해 냈고 움직였다.

어쩌면 세상을 살아가기에는 나처럼 감정적인 것보다 그와 같은 이성적인 사람이 더 적합할지도 모르겠다. 우리는 마주치는 수많은 문제들을 해결하면서 나아가야 하니까. 난관을 만날 때마다 그 감정에 빠져버리면 너무 힘들지도 모르겠다. 때문에 나는 앞으로도 그의 감정을 배제하고 판단하는 사고를 닮으려 노력할 것이다.

뭐?

나는 경상도 토박이 여자다. 그는 나와는 정반대인 경기도 토박이 남자다. 절대적인 것은 아니지만 상대적으로 나를 포함한 경상도 사람들은 조금 터프한 면이, 경기권 사람들은 부드러운 면이 있다고 생각한다.

그날은 차 안에서 약간 다툼이 있던 날이었다. 무엇 때문이었는지는 모르겠지만, 그 정도로 사소한 다툼이었다. 우리는 점점 언성이 높아져 가는 대화를 몇 번 주고 받았다. 그는 나를 보더니 삐진 듯한 뾰로통한 눈빛으로 한 마디를 뱉었다.

"너 미워."

순간 나는 웃음이 터질 수밖에 없었다. 아마 경상도 독자라면 공감할 것이다. '미워'라는 말은 마치 유치원생이 내뱉을 것 같은 순수한 느낌이 담겨있는 단어인데, 내가 이런 말을 들을 줄이야. 그의 말에 웃음이 터진 나는 투덕거리던 화가 다 풀려버렸다.

이후 이 일화를 주변인들에게 많이 이야기했다. 주변 사람들의 반응은 두 가지로 나뉘었다. 나와 같은 경상도인들은 "뭐어? 미워?"라며 놀라기도 하고 동시에 웃음이 터졌다. 아마 그들도 나와 같은 느낌으로 순수하고 귀여운 그 단어에 웃음이 나왔을 것이다. 또 경기도에 사는 언니에게 말해주었을 때는 "그게 왜? 나도 미울 때 그렇게 말 하는데?"라고 말하는 반응을 보였다. 정말 나에게는 너무 재미있고 귀여웠던 일이어서 꼭 사람들에게 말해주고 싶었다.

앞으로

그는 23년 6월에 전역을 했다. 전역은 분명 축하해야 하지만, 우리를 만날 수 있게 해 준 직장이자 같이 근무하던 부대를 떠난다고 생각하니 아쉬운 건 어쩔 수 없었다. 그는 잠깐 인생의 쉬는 시간을 가질 것이라 했다. 그 후에는 군무원 시험을 준비할 것이라 했다. 나는 그가 어떤 선택을 하든, 어떤 위치에 있든 응원해야겠다 다짐했다. 그가 본격적으로 공부를 시작하면서 그와 예전만큼 자주 만날 수 없었다. 우리는 일주일에 1번 만나는 데이트를 했다. 토요일에 그가 학원을 마치면 같이 저녁을 먹었다. 맛있는 것을 먹고 커피 한 잔 정도의 시간을 보내고 우리는 다음 데이트를 기약해야 했다. 그와 더 많이 만나고 더 많은 시간을 보내고 싶었지만, 괜찮았다. 그가 열심히 하는 모습을 보여주었기 때문에. 또한 나도 수험생활을 겪어 본 사람으로서, 옆에서 같이 놀자고 그를 흔드는 것이 얼마나 큰 유혹인지, 또 그 후에 겪을 죄책감을 알기 때문에 나는 그를 보챌 수 없었다.

나는 취미를 만들어 갔다. 그와 놀 수 없는 빈 시간을 채워야 했다. 뜨개를 시작했다. 꽃, 도토리, 너구리, 토토로, 튤립, 붕어빵을 떴다. 또 기타를 배우려 학원을 다녔고 클라이밍을 시작했다. 이제는 이렇게 책까지 쓴다. 바쁘지 않으면 그가 생각났다. 그가 뭐하고 있는지 궁금해지고 연락하게 되었다. 또 연락이 없는 그를 그리워하게 됐다. 그래서 나는 내가 바쁘게 지내야 한다고 생각했다.

한 때는 나의 이런 모습에 자기연민을 느꼈던 것 같다. 바쁘기 위해 노력하는 내 모습이 그를 떠올리지 않으려고 애쓴다고 생각했다. 그러나 우습게도 그건 자기연민, 그 이하도 이상도 아니었던 것 같다. 생각보다 나는 뜨개에 푹 빠졌었다. 뜨개가 재미있어서 어디서든 실과 바늘을 챙겨 다니며 뜨개를 했었다. 기타를 배우는 것은 내 오랜 로망이었다. 중학생 때 기타를 배우고 싶다고 노래를 불러서 엄마가 생일선물로 기타를 사 주시기도 했고 줄곧 배우고 싶었다. 클라이밍도 언젠가 한 번쯤은 해보고 싶었던 운동이었다. 지금은 클라이밍에 취미를 붙이려고 노력중이다. 사실 책을 쓰는 것도 어릴 때부터 글 쓰는 것을 좋아하던 내가 꼭 한 번은 해보고 싶던 일이었다. 다 내가 해보고 싶었고, 또 막상 하니 재미를 붙여서 내 의지로 하게 된 것들인데 왜 나는 이런 내 모습을 안쓰럽게 생각했나 싶었다. 오히려 그가 내 곁에서 잠시 거리를 둬야 하는 이 시간이 나를 개발 시킬 수 있는 그런 시간이 아닐까 하는 생각마저 들었다.

　사실 나는 이런 취미생활을 그에게 멋있게 보이고 싶어서 더 열심히 하기도 했다. 그와 전화를 할 때
　"뭐하고 있었어?"
　"나 독서실에서 공부중이지. 너는?"이라고 했을 때
　"나는 그냥 누워있었어"라는 대답을 하기보다
　"나는 야근하고 있었어.", "나 기타 연습하고 있었어.", "나 운동하고 있었어."같은 답을 한다면, 그는 이런 내 열심히 하는 모습에 동기부여를 받지 않을까라고 생각했다. 그래서 공부를 더 열심히 하게 될 거라고. 그런데 그를 위했던 이 생각은 내가 게으르게 누워 있지 않고 무언가를 실제로 하게 만들었다. 그가 동기부여 받을 거라는 생각에 오히려 내가 동기부여를 받는 셈이었다.
　어쩌면 서로로 인해 서로가 더 나은 사람이 된다면, 처음 만났을 때의 모습보다 우리가 연인이 되었기 때문에 더 멋있는 사람이 된다면, 참 건강하고 멋진 연애이지 않을까 생각한다. 나는 그렇게 되도록, 우리 서로가 그렇게 될 수 있도록 노력할 것이다.

흘러가는 중입니다

발행 2024년 1월 10일

지은이 한승엽, 안정애, 율성휘, 김현, 김성원, 김동희, 현웅, 김다희

라이팅리더 현해원

디자인 윤소정

펴낸이 정원우

펴낸곳 글ego

출판등록 2019.06.21 (제2019-000227호)

주소 서울시 강남구 강남대로 118길 24 3층

이메일 writing4ego@gmail.com

홈페이지 http://egowriting.com

인스타그램 @egowriting

ISBN 979-11-6666-429-8

© 2024. 한승엽, 안정애, 율성휘, 김현, 김성원, 김동희, 현웅, 김다희

이 책은 저작권법에 따라 보호받는 저작물이므로 무단 전재 및 복제를 금합니다.